André

JUSQU'AU DERNIER JOUR

PATRICK GALE

JUSQU'AU DERNIER JOUR

*Traduit de l'anglais
par Isabelle Caron*

belfond
12, avenue d'Italie
75013 Paris

Titre original :
THE WHOLE DAY THROUGH
publié par Fourth Estate, une marque de HarperCollins
Publishers, Londres

Si vous souhaitez recevoir notre catalogue
et être tenu au courant de nos publications,
vous pouvez consulter notre site internet :
www.belfond.fr
ou envoyer vos nom et adresse
aux Éditions Belfond,
12, avenue d'Italie, 75013 Paris.
Et, pour le Canada,
à Interforum Canada Inc.,
1055, bd René-Lévesque-Est,
Bureau 1100,
Montréal, Québec, H2L 4S5.

ISBN 978-2-7144-4647-3

Pour Aidan Hicks

Pourquoi devrais-je être loin de votre cœur parce que je suis loin de vos yeux ? Je vous attends, le temps d'un entracte, tout près d'ici, juste à l'angle. Tout va bien.

Henry Scott HOLLAND

Thé du petit matin

LAURA ÉTAIT RÉVEILLÉE DEPUIS PLUSIEURS MINUTES lorsqu'elle s'aperçut qu'il y avait un problème. Elle ouvrait toujours ses rideaux avant de se coucher, préférant être tirée lentement du sommeil par les premières lueurs du jour plutôt que d'en être arrachée par une sonnerie. (Commencer plus tard les mois d'hiver était un des rares plaisirs que lui offrait son travail de comptable free-lance.) Allongée très confortablement, elle rassembla donc doucement ses esprits – où était-elle et pourquoi ? –, huma les doux effluves du rosier Sombreuil qui lui bouchait en partie la vue sur le jardin et écouta les cris affamés des oisillons de la mésange bleue dans le nichoir à côté du rebord de fenêtre. Son esprit nota le roman américain qu'elle s'obstinait à lire malgré son manque de vertus émollientes et l'efflores-cence qui empourprait le fond du verre à vin posé sur sa table de nuit. Son bien-être diminuait à mesure que les meubles et les tableaux lui rappelaient qu'elle n'était plus à Paris, mais à Winchester, que ce n'était pas sa chambre, du moins pas encore tout à fait, mais la chambre d'appoint de sa mère.

Elle venait de se dire avec un soupir rentré qu'elle l'occupait depuis assez longtemps pour qu'une telle distinction ait un arrière-goût de lâcheté, lorsqu'elle se rendit compte que le bruit de fond sur lequel se détachaient les cris des bébés mésanges bleues n'était pas, comme elle l'avait cru, le roucoulement d'une tourterelle turque, mais maman qui l'appelait du jardin.

Elle jura à mi-voix en s'apercevant qu'il n'était que six heures et demie et alla jeter un coup d'œil entre les branches du rosier. Elle jura une seconde fois, plus fort, et enfila sa robe de chambre en courant.

Maman ne l'avait pas vue arriver et continuait à l'appeler, sans élever la voix pour ne pas attirer l'attention du voisinage. Elle était affalée sur un assez joli leptospermum à fleurs roses, toute nue naturellement, serrant son sécateur dans une main et un mug de la Fabian Society [1] dans l'autre. Elle avait réussi à ne pas renverser tout son thé dans sa chute et en avalait une gorgée distraite en attendant qu'on vienne à son secours.

Ce tableau aurait pu résumer le triste déclin d'un esprit brillant, la pitoyable démence sénile de l'éminente virologiste que ses étudiants et ses pairs avaient connue sous le nom de Pr Jellicoe. Son esprit était pourtant plus acéré que jamais, seuls ses bras et ses jambes lui jouaient des tours et, loin d'être un symptôme, sa nudité était une vieille habitude.

C'est le père de Laura, aujourd'hui décédé, qui l'avait initiée au naturisme au début de leur relation et Harriet Jellicoe – Mme Lewis, comme il disait pour plaisanter

---

1. Groupe de réflexion socialiste fondé en 1883. *(Toutes les notes sont de la traductrice.)*

dans ses conversations avec sa fille – en était devenue une adepte enthousiaste.

« Tu es là depuis combien de temps ? s'enquit Laura.

— Environ une heure.

— Maman !

— C'est pas grave. Je commençais juste à avoir un peu froid, et uniquement parce que je ne me remue pas.

— Rien de cassé ?

— Impossible de me relever toute seule. Quelle poisse, les vieilles carcasses ! » Elle continua à bavarder tandis que Laura l'agrippait sous les coudes et que maman faisait de même afin de leur éviter à toutes deux une luxation du poignet. « Je venais de me faire une tasse de thé quand j'ai vu que les giroflées avaient besoin d'être taillées si on ne veut pas qu'elles se res-sèment et envahissent tout, puis j'ai dû être distraite par un oiseau ou autre chose car je me suis retrouvée les quatre fers en l'air.

— Allez, hop !

— Tu vas tout simplement être obligée de me mettre dans une maison de retraite, dit maman tandis qu'elles regagnaient à pas hésitants la maison.

— On a déjà fait le tour de la question.

— Oh oui.

— Mais tu es gelée ! Allez, viens. Qu'est-ce que tu préfères : retourner te coucher ou prendre une autre tasse de thé ?

— Une tasse de thé, je crois. Après ça, je veux me remettre à cet article sur la maladie de la langue bleue. »

Une élégante robe de chambre en cachemire vert d'eau était accrochée en permanence à la porte de la cuisine en cas de visites inopinées. Laura s'empressa d'emmitoufler sa mère dedans et noua la ceinture.

Quand elle se retourna après avoir rempli la bouilloire et allumé le gaz, maman s'en était instinctivement débarrassée.

« Je n'ai pas froid, dit-elle quand Laura se baissa pour ramasser la robe de chambre. Ne fais pas tant de chichis. »

Laura laissa donc le vêtement par terre et la regarda s'affaler brutalement dans l'antique fauteuil où elle passait le plus clair de ses journées.

Contrainte de prendre une retraite mal vécue, puis retenue à demeure en raison de son invalidité, le Pr Jellicoe avait cependant l'impression de ne pas avoir entièrement « passé la main », comme elle disait, grâce à deux ou trois collègues et éditeurs plus jeunes et compatissants qui veillaient à ce qu'on lui envoie des articles et des livres pour qu'elle en fasse une lecture critique.

À défaut d'être aussi gratifiantes, ses journées étaient donc parfois aussi bien remplies que lorsqu'elle dirigeait son équipe de recherche, quoique en grande partie sédentaires.

Le père de Laura, M. Lewis, avait toujours allégrement adopté un profil bas, satisfait d'occuper la seconde place, et Laura avait récemment reconnu dans ses propres pensées et son comportement envers sa mère des traces indiscutables du respect rarement moqueur que son père affichait pour la supériorité innée du Pr Jellicoe. Comme lui, elle était devenue sa vestale. Le corps de maman aurait beau la lâcher un jour, il serait toujours moins important que la flamme de l'intellect qu'il abritait, flamme qui se devait d'être entretenue et protégée dans l'intérêt de tous.

Le vaste fauteuil en chintz et une table basse où s'entassaient à portée de main un ordinateur portable,

Espère en Dieu quand ton pied glisse
Sous les efforts du Tentateur.
Saisis la main libératrice
Qui te rendra toujours vainqueur.

Espère en Dieu quand la souffrance,
Brisant ton corps, trouble ton cœur.
Chez lui jamais l'indifférence
Ne le distrait de ton malheur.

Espère en Dieu quand sonne l'heure
D'abandonner les biens d'en bas.
Crois aux trésors de sa demeure,
Car son amour t'ouvre ses bras.

E. Bonnard

Ils cherchaient Dieu dès le matin ; et ils se souvenaient que Dieu était leur rocher.
Psaume 78. 34, 35

Espère en Dieu

Espère en Dieu quand la nuit sombre
Voile le ciel et l'horizon.
Jamais là-haut ne règne l'ombre,
Là-haut t'attend une maison.

Espère en Dieu quand on t'oublie
Ou qu'on te raille avec dédain.
Sois courageux, jamais ne plie,.
Va plutôt seul sur ton chemin

un téléphone, une imprimante et un vieux pot à confiture rempli de stylos et de crayons étaient devenus le cabinet de travail de Harriet Jellicoe. Une table roulante en acajou faisait office de bureau. Évaluant la situation peu après son emménagement, Laura avait surélevé l'assise du fauteuil avec une bonne épaisseur de mousse, mais maman n'arrivait à s'en extraire toute seule qu'au prix d'une gymnastique complexe : elle se laissait rouler en avant, atterrissait à genoux sur un tabouret de jardin et s'agrippait aux meubles pour se mettre tant bien que mal debout. Le fauteuil devrait être remplacé dans un avenir proche par un modèle électrique qui permettrait à sa mère de s'asseoir et de se relever en douceur. Laura avait rapporté des brochures et essayé de convaincre l'intéressée en lui vantant le confort de ces fauteuils, mais maman y résistait de toutes ses forces.

« Cet horrible velours me ferait transpirer. Je ne m'y assiérais jamais. Ce serait de l'argent jeté par les fenêtres. »

Pour l'instant, donc, elle se contentait du vieux trône en chintz, du tabouret-agenouilloir et, en cas d'urgence, d'un vieux pot de chambre en porcelaine discrètement dissimulé derrière une pile d'anciens numéros du *Journal of Virology* (et, de plus en plus souvent, de *Country Life*).

« J'ai pissé dans le leptospermum, dit maman tandis que Laura posait une tasse de thé à côté d'elle. Mais je suppose que ça ne lui nuira pas. C'est fou ce que ça peut gratter.

— Estime-toi heureuse que ce n'ait pas été une épine-vinette.

— Je n'en planterais jamais, s'indigna-t-elle, comme si la suggestion était humiliante.

17

— Je sais. Je te taquinais. Pardon. »

Les deux jardins de sa mère étaient dépourvus d'épines ou de plantes allergènes comme la rue officinale ou l'euphorbe. Elle faisait une exception pour les roses, mais choisissait rarement les variétés les plus épineuses et les palissait très à l'écart des allées ou des endroits prévus pour s'asseoir.

Laura mit la boîte de biscuits sur la table roulante, à portée de main de maman. « Je remonte un moment dans ma chambre, dit-elle. Je redescends bientôt. »

Mais maman était déjà devant son ordinateur et le dernier article dont elle faisait un compte rendu critique, et elle ne prit pas acte de sa remarque. Laura s'éclipsa pour aller chercher le journal dans la grosse boîte aux lettres en bois fixée au portail du jardin et l'emporta avec son thé dans sa chambre, laissant maman travailler en paix.

Avant – elle avait l'impression que ça faisait des années –, Laura vivait à Paris, entre la rue de la Roquette et la rue du Chemin-Vert, dans un minuscule appartement qu'elle louait à un prix très raisonnable en échange de menus travaux de gardiennage dans un appartement plus imposant situé trois étages plus bas. Il appartenait à un ex-petit ami américain, absent le plus clair du temps, et à sa complaisante épouse.

Chaque fois qu'une brève rencontre avec un de ses pairs qui avait mieux réussi l'amenait à examiner sa vie, la féministe en Laura rougissait en s'apercevant que sa vie d'adulte, sa vie d'après l'université, était structurée par des relations et non par des succès. Elle avait toujours travaillé, n'avait jamais eu faim, ce qui constituait une certaine réussite, mais le travail n'avait jamais été pour elle qu'une façon de payer le loyer et la nourriture et c'était une succession d'hommes et non de promotions professionnelles qui lui venait à l'esprit quand elle se représentait l'histoire de sa vie.

Comptable free-lance depuis quelques années, elle avait déménagé à Paris à l'âge de trente ans pour fuir le contrecoup d'une liaison pour le moins malencontreuse avec un avocat alcoolique. Grisée par l'amour, elle avait d'abord cru pouvoir l'arracher à ses démons. Quand il s'était rendu compte que la troisième tentative de Laura pour rompre avec lui était la bonne, il avait essayé d'attenter à ses jours. Brusquement guérie de ses illusions, elle s'était éloignée, moins par peur de lui, même si elle redoutait de le rencontrer à l'improviste, qu'en raison de la condamnation blessante d'amis communs qui n'avaient pas compris qu'elle n'aille pas le voir à l'hôpital.

Elle avait pansé ses blessures dans un minuscule meublé dépourvu d'éclairage naturel et retrouvé inopinément l'estime de soi avec Graydon, un banquier américain qui petit-déjeunait dans le même bistrot qu'elle et l'avait considérée comme un défi à relever parce qu'elle l'avait au départ regardé de haut, au prétexte plutôt irrationnel qu'il n'était pas français. Pendant presque un an, ils avaient eu une liaison des plus agréables, toute de désir et d'admiration, où la courtoisie suppléait à l'amour.

La relation était partie à vau-l'eau au moment précis où Graydon semblait faire d'elle sa maîtresse officielle. Son contrat parisien s'étant considérablement amélioré lors de son renouvellement, il avait acheté deux appartements dans le même immeuble en lisière du Marais et l'avait persuadée de s'installer dans le plus petit, qui n'était guère qu'une *chambre de bonne** améliorée sous les toits. Quand bien même la régularité et la familiarité n'auraient pas refroidi leurs ardeurs amoureuses, Graydon mit un terme subtil, bien que risqué, à leur liaison en présentant Laura à sa femme. Comme il l'avait sûrement pressenti, cette dernière plut d'instinct à Laura, laquelle se rendit graduellement compte que dîner avec elle lui plaisait plus que coucher avec lui. Elle n'en resta pas moins dans le petit appartement, par affection pour eux deux, si souvent partis qu'ils avaient besoin de quelqu'un de mieux disposé envers les Américains et parlant mieux l'anglais que le concierge de l'immeuble pour réceptionner les paquets, superviser les travaux ou accueillir les visiteurs occasionnels qui louaient le grand appartement pendant leurs longues absences.

Elle avait téléphoné régulièrement à maman – beaucoup plus souvent après son veuvage – et organisé des visites annuelles chez l'une ou chez l'autre, mais avait globalement préservé une affectueuse distance qui leur convenait bien. Maman écrivait, jardinait, assistait à des conférences et était, à tous égards, la mère âgée et indépendante dont tout le monde rêvait. Mais voilà qu'elle avait trébuché sur un trottoir inégal ou glissé sur une feuille morte et s'était retrouvée à l'hôpital avec une fracture du col du fémur.

Il apparaissait seulement maintenant, bien trop tard pour qu'on puisse la traiter, qu'elle souffrait d'ostéoporose à un stade avancé. Cela semblait d'autant plus cruel que c'était souvent le fléau des mères de famille

---

* Tous les mots et expressions en italique suivis d'un astérisque sont en français dans le texte.

nombreuse, pas de celles d'un seul enfant. Deux chirurgiens ayant décrété qu'une prothèse de la hanche était déconseillée dans son cas, on s'était contenté d'une broche – réparation qui avait laissé maman anxieuse et, semblait-il, de plus en plus percluse de douleurs. Lorsqu'elle s'était cassé la cheville de l'autre jambe, cette fois dans son jardin aux haies épaisses, elle avait passé toute une nuit dehors et plusieurs heures sous un crachin matinal avant que quelqu'un n'entende ses appels au secours.

Laura s'était alors vue obligée de quitter définitivement Paris. Arrivée à l'hôpital, elle avait eu droit à un interrogatoire à peine voilé de la part d'un travailleur social. Il ne lui fut pas difficile d'expliquer pourquoi elle était certaine que l'absence de vêtements de sa mère n'avait rien à voir avec la sénilité – étant donné la manière dont elle avait été élevée, il y avait beau temps que Laura n'était plus gênée d'aborder la question –, mais elle voyait bien que le jeune homme ne la croyait pas ou avait, malgré sa formation, le plus grand mal à masquer son dégoût. Elle affronta le même problème lorsqu'elle s'enquit des possibilités de maison de retraite, même pour un court séjour. Quand bien même maman en aurait accepté l'idée, elle n'aurait pas supporté de rester habillée toute la journée. Laura doutait que les pays nordiques mêmes aient des maisons de retraite ou des résidences où les personnes âgées pouvaient désherber dans le plus simple appareil.

Les faits étaient cruels dans leur simplicité : maman avait besoin d'une aide à domicile, seule Laura était en mesure de remplir ce rôle et, comme elle pouvait travailler n'importe où et était sans attaches, aucune bonne raison ne l'empêchait d'emménager chez sa mère. Elle ne l'avait pas vraiment fait. La plupart de ses affaires restaient entassées dans des cartons au fond du garage, promesse vague et de plus en plus humide d'un possible changement de situation.

Laura se mettait si rarement en colère que la sensation lui était totalement étrangère et lui donnait plutôt l'impression d'une crise de nerfs ou d'un vomissement imminents. Elle était incapable de la moindre violence, mais le travailleur social, un garçon aux cheveux pleins de gel, vêtu d'un costume brillant, était une vraie tête à claques, ne serait-ce qu'à cause de sa manie de finir toutes ses phrases sur un ton interrogatif. Il la bombarda de questions personnelles inutiles et, comme son discours ne consistait qu'en une succession de phrases d'emprunt, il était tentant de supposer qu'il en allait de même de ses pensées. Laura décida de se concentrer pour en finir au plus vite avec son petit interrogatoire serré et résista à la tentation de lui demander pourquoi diable il avait besoin de savoir combien elle gagnait ou quelle était la situation de famille de sa mère.

« Elle est célibataire, dit-elle.

— Vous voulez dire divorcée ?

— Non, célibataire. Mes parents ne se sont jamais mariés. Et mon père est mort.

— Ah. »

Elle regarda sa grosse main saisir son stylo pour écrire le mot *veuve*. À strictement parler, une femme non mariée ne pouvait pas être veuve, mais passons. Une seule chose comptait : sortir de ce placard à balais, échapper à l'atmosphère étouffante de l'hôpital. Dans son indignation, Laura s'entendit lui dire des choses qu'il ne lui avait même pas demandées, mettant à l'épreuve son entendement limité et retardant sa propre fuite.

Enfin libre, après avoir dû accepter une inspection de la maison de sa mère afin de repérer tous les obstacles et autres risques de chute et y remédier, elle sentit éclater sa colère refoulée : le sang lui monta au visage, ses mains et sa mâchoire se mirent à trembler et tout ce qui l'entourait – les visiteurs avec leurs sacs plastique usagés, les brancardiers trop enjoués, les infirmières maussades d'épuisement, les œuvres d'artistes amateurs qui tapissaient le couloir qu'elle arpentait – lui parut un affront à ses sens.

Un gravier qui s'était logé dans sa chaussure lorsqu'elle était passée entre deux bâtiments se mit soudain à lui entamer le talon. Elle s'arrêtait pour l'enlever quand elle entendit une voix d'homme l'appeler. Elle jeta un coup d'œil à la ronde mais ne reconnut personne dans la foule. Puis elle se dit naturellement qu'elle ne connaissait personne ici et qu'elle avait simplement entendu un inconnu appeler une autre Laura, ce qui accrut son irritation.

« Laura ? » entendit-elle à nouveau. Elle se retourna et vit un bel homme en costume qui s'adressait visiblement à elle.

Elle ne le reconnut pas tout de suite. En fait, elle le prit un bref instant pour un correspondant étranger de la BBC et se demanda comment il la connaissait. Il n'avait pas perdu tous ses cheveux ni engraissé énormément, mais ils ne s'étaient pas vus depuis plus de vingt ans et le garçon d'alors était devenu un homme. Les cheveux châtains dont elle avait le souvenir grisonnaient à présent. Dès qu'il sourit cependant, elle l'identifia au petit écart qu'il avait entre les dents de devant et à la fossette creusant une seule de ses joues. Et aussi à la façon modeste dont il se présenta, comme si elle peinait à se rappeler qui il était. Lui-même avait sans doute eu la même difficulté.

« Bien sûr ! dit-elle en riant. C'est le fait de te voir si soudainement et hors contexte. » Ils s'étreignirent et il l'embrassa sur les deux joues, puis rit quand elle lui présenta machinalement la joue pour une troisième bise. « Oh, mon Dieu ! s'exclama-t-elle.

— Je sais, dit-il en s'écartant pour la regarder. Vingt ans. Comment est-ce possible ?

— Arrête, fit-elle. Ça ne me rajeunit pas », mais il ignora délibérément la remarque, continua à la contempler et à lui sourire.

L'espace d'une ou deux secondes, ils se contentèrent de se dévisager en souriant timidement, chacun mesurant le passage des ans sur le visage de l'autre. Plus elle le regardait, plus il devenait reconnaissable, comme si tout le temps écoulé était soudain aboli. Les petits boulots, les appartements et les relations stupides qui ne rimaient à rien et dont elle ignorait à l'époque qu'elles ne rimaient à rien, tout ce beau gâchis lui revint brusquement à l'esprit. Suivant de près sa colère contre le travailleur social, cette sensation lui donna un tournis comparable à de l'ivresse, et elle eut un petit rire nerveux.

« On m'a dit que tu vivais à Paris, fit-il.

— Et toi à Londres, répliqua-t-elle en se remettant à marcher et en l'entraînant à sa suite. Je suis venue voir ma mère. Enfin, je m'occupe d'elle en fait.

— Rien de grave ?

« — Fracture de la cheville et un peu d'hypothermie, répondit-elle avec désinvolture. La débandade générale. Tu vois ce que je veux dire.

— J'en suis navré. Je ne savais pas qu'elle vivait ici.

— Non, pas quand je... quand nous étions...

— Ah. »

Chaque fois que ses amies parisiennes l'interrogeaient sur ses amours passées, c'était toujours sa relation avec Phil, l'avocat alcoolique, qu'elle présentait comme la plus importante, pas celle d'avant, avec Ben. Éprouvante et dramatique, sa liaison avec Phil était la raison de son emménagement à Paris et était indissociable de la vision que Laura avait d'elle-même et de son devenir. Confrontée brusquement à Ben, elle s'aperçut cependant qu'elle avait soustrait leur histoire de jeunesse à tout examen critique, peut-être autant pour ne pas avoir à l'analyser elle-même que pour éviter que d'autres ne la décortiquent, voire ne la galvaudent.

« Et toi, qu'est-ce que tu fais à Winchester ? s'enquit-elle.

— Ce serait long à raconter. Disons que je travaille ici pour le moment.

— À mon tour de dire "Ah". »

Ils étaient arrivés à la porte menant au parking. Soufflés par le vent, les pétales rose bonbon d'un cerisier en fleur gisaient sur le paillasson, piétinés comme des confettis détrempés.

Ben fit un pas de côté et sourit quand elle se tourna vers lui. « Il m'a fallu une ou deux secondes pour..., commença-t-il. Je t'aime bien avec les cheveux plus courts.

— Merci. Paris. »

25

Avec l'assurance d'un homme marié, elle s'en rendait compte à présent, il lui avait donc demandé s'ils pouvaient se revoir et voilà tout à coup qu'ils dînaient ensemble la semaine suivante, une fois qu'elle aurait ramené sa mère chez elle et repris ses habitudes.

Laura finit son thé et posa sa tasse, qui tinta contre son verre à vin de la veille. Elle s'obligea à s'habiller. Si elle n'y prenait garde, les quelques secondes au cours desquelles Ben l'avait invitée à dîner, son expression ravie et éminemment séduisante lorsqu'elle avait dit oui, avaient tendance à lui trotter dans la tête, futiles et flatteuses.

Elle avait honte de son empressement, bien sûr. Elle n'était plus une étudiante godiche mais une *Parisienne** honoraire de quarante ans et des poussières, une femme habituée aux hommes, au sang-froid éprouvé. Un accueil plus froid, voire un refus initial, aurait rehaussé sa valeur d'un cran.

Slip, se dit-elle. *Soutien-gorge*. Récemment encore, elle accordait de l'importance à sa lingerie et la possibilité qu'un homme la lui ôte était une raison suffisante pour qu'elle dépense presque autant en parures que pour le reste de son habillement. À présent, c'étaient les dessous de sa mère qui l'accaparaient : cinq culottes blanches coûtant les yeux de la tête, équipées d'un protège-hanches en plastique pour prévenir les fractures. Leur importance était telle, les mises en garde au sujet des vieilles dames qui se cassaient le col du fémur ou le pelvis et *n'étaient plus jamais les mêmes* si sinistres que maman devenait extrêmement angoissée si elle n'en avait pas au moins une de propre pour la nuit et une de rechange pour les urgences. Résultat, on faisait et étendait la lessive tous les jours au lieu d'une fois par semaine et le doux entrechoquement des protège-hanches en plastique sur la corde à linge était devenu un bruit du jardin à part entière, au même titre que le chant des oiseaux ou le bruissement du vent dans les hêtres du cimetière. La corvée avait eu pour conséquence de reléguer les quelques ensembles élégants de Laura, lavables uniquement à la main, au fond d'un tiroir, remplacés par des sous-vêtements en coton fonctionnels – jadis d'un blanc d'écolière – qu'elle pouvait ajouter aux lessives quotidiennes pour remplir la machine.

Le slip d'aujourd'hui, le premier à lui être tombé sous la main, était un modèle de secours acheté au Monoprix, désormais distendu à la taille et d'un gris déprimant. Mais elle serait la seule à le savoir. Une sorte de libération, se dit-elle pour se remonter le moral.

Muesli à la banane

BEN FUT RÉVEILLÉ AUX AURORES PAR UN GRAND BRUIT SOURD venu de la chambre de Bobby – et par le fracas d'un verre ou d'une tasse qui se brisait, suivi d'un rire agrémenté de jurons typique de son frère.

« Bob ? Bobby ? appela-t-il. Ça va ?

— Oui », répondit Bobby d'une voix étonnamment semblable à celle de leur mère, avant de glousser ; puis tout redevint calme.

Cela faisait presque neuf semaines que Ben était à Winchester et il était toujours aussi surpris de découvrir qu'il n'était pas couché à côté de sa femme, mais seul dans une autre ville. Il se tourna sur le ventre, tendit le bras vers l'endroit où aurait dû se trouver Chloë et enlaça le second oreiller. Les heures les plus sombres de la nuit, celles où l'on risque le moins de parler, étaient devenues celles où son mariage semblait le moins précaire.

Puis, épuisé par quatre journées de consultations surchargées, il sombra de nouveau dans un profond sommeil et rêva de Laura. Ils étaient de retour dans la chambre très spacieuse qu'elle avait obtenue à New College, au dernier étage de New Building : elle donnait

31

sur une partie de la vieille muraille d'Oxford, sur le toit de la chapelle et le clocher. Il revit la pièce de son œil d'adulte et songea, *Bon sang, quelle vue incroyable !* Dans son rêve pourtant, il était blasé, tout comme elle : ils considéraient que de tels bienfaits allaient de soi ou leur étaient dus parce qu'ils avaient bûché et réussi à des examens. Mais le lit était immense et tendu de lin, comme dans un bon hôtel, ce n'était pas le petit lit cassé de la réalité, si pitoyable et bruyant qu'ils posaient le matelas à même le sol ou faisaient simplement l'amour par terre, enroulés dans la couette de Laura et se brûlant la peau sur la moquette synthétique.

Ils étaient donc nus ensemble dans la chambre de Laura où l'on trouvait les habituels signes extérieurs de sophistication estudiantine – un pot de vrai café surmonté d'un de ces horribles cônes à filtre en papier que personne n'utilise plus, du raisin, du brie, une bonne bouteille de porto –, et en même temps ils avaient leur âge actuel, quarante-huit ans pour lui, quarante et quelques pour elle, tous les deux un peu marqués par le temps.

Laura n'était pas belle quand elle était étudiante, à l'inverse de Chloë, qui avait – titre de gloire ou marque d'infamie selon le point de vue – été un an manne- quin pour Ralph Lauren avant d'entrer à l'université. Même alors, surtout alors, avec l'œil impitoyable et inexpérimenté de la jeunesse, il avait regardé autour de lui, comparé et vu que, selon les normes en vigueur, Laura avait l'air bizarre avec son visage trop anguleux, presque félin, ses yeux immenses jusqu'à la caricature, son corps de garçonne si plat et si mince qu'il lui avait paru, la première fois qu'il avait couché avec elle, tout de suite familier, dépourvu du défi ou du mystère attendu.

Vingt ans plus tard, elle n'était toujours pas ce qu'on aurait appelé une beauté. Tout juste si elle avait gagné quelques rondeurs, mais avec la maturité ses traits avaient pris un aspect extraordinaire, à la manière de ceux de certains acteurs : ils étaient presque mieux en gros plan, à portée de baiser, que vus de loin. Elle avait appris à se présenter différemment : la timidité qui l'empêchait brusquement de parler s'était transformée en une réticence sexy. Elle avait acquis de l'allure.

Mais cette nouvelle coiffure plus courte qu'elle devait en fait avoir depuis des années et qui continuait à le surprendre par les aperçus qu'elle offrait sur sa nuque brillait au soleil et il bandait comme jamais. Il voulait qu'elle reste là, la sucer, la baiser et la garder avec lui, car vu que c'était un rêve, il avait perdu la plupart de ses inhibitions et ils étaient tous les deux bien meilleurs au lit que lorsqu'ils étaient étudiants. Mais elle s'écartait sans cesse et répétait qu'elle devait partir, oui, sans blague. Oui, oui, elle l'aimait et elle aussi avait terriblement envie de lui, là tout de suite, mais il fallait vraiment qu'elle y aille.

Puis il y avait un *dring* et elle disait « Là. Tu vois ? Nous voilà tous les deux en retard, par ta faute, et ta femme va nous tuer. » Sur ce, la pendulette sonna et il se réveilla, le bas-ventre en émoi, avec une profonde sensation de regret.

Ce n'était pas sa chambre, même si cela faisait deux mois qu'il y dormait. C'était celle de sa mère. Il y avait apporté des modifications, s'était efforcé de la rendre moins féminine en la repeignant en blanc et en éliminant les romans à quatre sous qui dénotaient un

33

mauvais goût dont elle ne rougissait pas. Le dessus-de-lit et les coussins à fleurs avaient pris le chemin d'une organisation caritative. Idem pour le miroir de la coiffeuse et les rideaux de dentelle. Mais ça restait la chambre de sa mère, malgré les revues médicales empilées sur la table de chevet et son nécessaire à raser et sa brosse à dents posés sur le rebord crasseux du lavabo.

Il y avait beau temps que son ancienne chambre, minuscule en comparaison, avait été transformée en coin musique afin que sa mère ait un endroit où s'isoler de Bobby quand elle avait besoin d'avoir un peu la paix.

La maison ne lui avait pas paru aussi petite étant enfant, même si déjà la personnalité bruyante de Bobby semblait remplir tout l'espace. Mais à côté de l'appartement que Chloë et lui possédaient à Battersea Park, elle avait l'air incroyablement exiguë et, pour la première fois, il mesura les sacrifices de leur mère.

Avant l'arrivée de Bobby, une naissance tardive, inattendue et peut-être une tentative malencontreuse pour ranimer un mariage qui battait de l'aile, sa mère enseignait dans une bonne petite école primaire à St Cross et son père était associé d'un cabinet dentaire très fréquenté de St Giles Hill. Après le diagnostic, tout avait changé. Elle avait laissé tomber son travail pour devenir l'orthophoniste de Bobby et s'occuper de lui à plein temps : c'était important, disait-elle, ils se débrouilleraient. Peut-être que papa était en train de la quitter de toute façon. Peut-être que son second fils était pour lui une déception trop accablante. À moins qu'il ne se soit agi que du démon de midi ? Ben était âgé de douze ans et Bob de deux lorsque leur père avait annoncé qu'il était amoureux d'une assistante dentaire remplaçante et allait vivre avec elle et sa famille à Durban. C'était totalement indépendant de sa volonté, avait-il déclaré.

Ben n'avait pas le souvenir de bagarres, de grandes disputes, seulement d'une disparition soudaine, des explications de sa mère et d'un immense sentiment de tristesse et d'épuisement. Dans le cadre du jugement de divorce, leur père avait payé le restant de ses frais de scolarité à Pilgrims, une petite école privée nichée à l'ombre de la cathédrale, mais il avait vécu au-dessus de ses moyens et, afin d'éviter des remboursements d'emprunt hypothécaire trop élevés, ils avaient été obligés de quitter leur vieille maison d'Edgar Road pour s'installer dans une ruelle dépourvue de jardins, dans un quartier sinistre du nom de Fulflood, situé du mauvais côté d'Oram's Arbour, près de la gare.

À présent, Fulflood n'était plus sinistre. Toutes les maisons des rues environnantes avaient été restaurées et embellies avec amour, toutes les cours minuscules audacieusement relookées en patios méditerranéens. Mais la maison demeurait petite et avait dû paraître assez minable à l'époque.

Sa chemise du vendredi, la violette à rayures blanches un peu pimpante, attendait sur un cintre. Non qu'il eût une chemise attitrée pour chaque jour de la semaine, ç'eût été triste à mourir, mais il les lavait toujours le samedi et les repassait le dimanche de façon à ne jamais être à court de chemise propre durant la semaine. Ce qui était seulement tristounet.

Il était temps de se lever. Il enfila sa robe de chambre et traversa le palier pour aller à la salle de bains. Bobby était en train de se doucher ; bizarre, parce qu'il laissait toujours la priorité à Ben – plus rapide – et qu'il n'avait

35

pas verrouillé la porte, ce qui ne n'était pas du tout dans ses habitudes.

« Pardon », cria Ben qui se dépêcha de refermer la porte. Il aurait juré avoir entendu Bobby remuer dans sa chambre. Mais c'était peut-être juste la radio ou les bruits de la rue entrant par une fenêtre ouverte. Il retourna attendre dans sa chambre.

Il se rallongea puis, craignant de se rendormir, s'assit au bord du lit, chaussa ses lunettes et s'attaqua à un article qu'il se promettait de lire depuis des semaines concernant la syphilis chez les moins de vingt-cinq ans. Il venait juste de finir le sommaire si mal ponctué qu'il avait dû le relire pour en extraire une bribe de sens, quand il entendit des bruits de porte ; il se précipita pour prendre son tour sous la douche. Sa robe de chambre s'ouvrit avec désobligeance pendant qu'il se rasait et il ressentit une fois de plus l'injustice qui veut que notre corps dans nos rêves semble cesser de vieillir vers vingt-cinq ans, à l'apogée de sa perfection.

Une odeur de pain grillé et de café l'accueillit dans l'escalier étroit. Il cria : « Tu es debout aux aurores. »

Sauf que ce n'était pas Bobby qui était attablé dans la cuisine, mais un inconnu d'à peu près son âge, aux cheveux aile de corbeau, avec un tatouage et un nez de boxeur. Il parut aussi stupéfait que Ben et renversa son café sur le journal de la veille. C'était ce que Chloë, avec son snobisme impénitent, aurait appelé un *Mettez-l'argenterie-sous-clé*, mais il n'y avait aucun objet de valeur à voler en dehors de la voiture de Ben et du vélo de course de Bobby, et Ben nota d'un rapide coup d'œil que toutes les clés étaient toujours au crochet et la précieuse bicyclette toujours visible devant la fenêtre de leur cour non relookée.

«Vous êtes qui ? s'enquit Ben sans réfléchir. Désolé, je... vous m'avez causé un choc. Je croyais que c'était Bobby.

— Mikey, fit l'homme. Le copain de Bobby. Vous êtes son... ?

— Frère.

— Ah, pas de problème alors.» Il était irlandais. Il serra la main tendue de Ben d'un air hésitant. À l'étage, des portes s'ouvrirent et se refermèrent, on actionna la chasse d'eau avec vigueur, puis ils entendirent Bobby chanter faux sous la douche, comme d'habitude.

«Voilà un homme heureux de vivre, dit Ben en se versant du café. Vous connaissez Bobby depuis longtemps ?

— Ouais, fit Mikey, qui après une pause ajouta : non, en fait, non. On s'est rencontrés sur Gaydar[1]. Bon, faut que j'y aille. Vous lui direz au revoir de ma part ?

— Je n'y manquerai pas.»

Mikey se leva, vida le restant de son café dans l'évier. «Pas de repos pour les braves, hein ? À plus.

— Ouais. Salut.»

La rencontre l'avait visiblement rendu nerveux car il eut du mal à ouvrir la porte.

«Calez le bas avec votre pied et tirez fort, cria Ben. Elle est un peu voilée.»

Enfin délivré, l'homme sortit avec des remerciements paniqués.

Ben se prépara un bol de muesli, y ajouta des rondelles de banane et médita, comme son travail l'y invitait constamment, sur les vicissitudes de l'innocence humaine. Croire les adultes trisomiques dénués

---

1. Site de rencontres gay.

de pulsions sexuelles était une faiblesse récurrente de leurs proches qui n'hésitaient pas à les traiter comme de grands enfants joyeux, maladroits, débordant d'amour, certes, mais le modèle convenable, innocent : l'amour d'un chiot et non celui d'un homme. Tout juste trois semaines plus tôt, Ben avait été obligé d'expliquer à une famille que leur petite fille, une trisomique de vingt-cinq ans collectionnant les blousons de motard et grande fan de Joan Jett & the Blackhearts, non seulement était séropositive, mais l'était devenue à la suite de rapports sexuels joyeux, répétés et non protégés.

Bobby n'avait pas la forme de trisomie que tout un chacun croit connaître. Il était un des rares à avoir la chance, si on peut dire, de souffrir de la variante en mosaïque. À la suite d'une anomalie, seules certaines de ses cellules présentaient trois chromosomes 21. (Âgé d'une douzaine d'années, son grand frère déjà féru de biologie était devenu un expert de la question et avait soumis un dossier sur l'ADN dans le cadre de sa demande de bourse à la célèbre école privée de Winchester.) Bobby avait eu des retards de croissance. Il avait mis longtemps à marcher et beaucoup plus encore à parler. Il marmonnait, surtout avec les gens qu'il ne connaissait pas. Avec ceux qu'il aimait bien, la confiance le rendait positivement bavard, à défaut d'être toujours intelligible. Il était plus petit que la moyenne, avait de gros doigts courts, tendance à prendre du poids et le cœur fragile. Il avait plus de chances d'avoir une leucémie et risquait de développer la maladie d'Alzheimer plus tôt. Mais son apparence était plus insolite que caractéristique : sa langue n'était pas trop épaisse, son nez et ses oreilles n'étaient pas trop petits. Il n'avait des plis que très légèrement épicanthiques aux yeux et un lointain ancêtre lui avait légué une crinière d'un blond tirant sur le blanc et des yeux qui avaient vraiment la couleur du bleuet. Bambin, les gens s'arrêtaient pour l'admirer dans la rue. Adulte, il ressemblait à un jeune Truman Capote vaguement chinois.

Et voici qu'à trente-huit ans il avait enfin une vie sexuelle.

Malgré son désir ardent de le voir rattraper de son mieux les enfants de son âge et recevoir une éducation « normale » dans un établissement d'enseignement public, avec tous les problèmes qui en découlaient, leur mère avait répugné à rendre Bobby indépendant. Elle l'aimait trop pour le laisser partir et s'était convaincue qu'il aurait de meilleures chances de mener une vie digne de ce nom en restant à la maison auprès d'elle qu'en acceptant l'offre d'un appartement thérapeutique. À vrai dire, Bobby l'aimait trop pour partir, quand bien même elle l'y aurait incité. Ils avaient des liens d'intimité intenses, conflictuels – un genre de mariage –, excluant toute relation extérieure. Elle reprit l'enseignement, il trouva le premier d'une série de petits boulots peu exigeants et ils continuèrent à être tout l'un pour l'autre jusqu'à ce qu'elle meure. Le décès de leur mère plongea Bobby dans une dépression si profonde qu'il fallut s'occuper de lui à plein temps pendant un mois ou deux. Mais ce fut comme si cette dépression nerveuse avait brisé la coquille maternelle, et le Bobby vraiment adulte avait enfin éclos.

Bobby descendit les marches deux par deux. Il se débattait avec sa cravate, comme d'habitude, et, comme d'habitude, Ben dut résister à l'envie de l'aider. Se refusant à porter l'horreur en tissu synthétique fournie par les chemins de fer, Bob avait une extravagante collection de cravates – une pour chaque jour ouvrable du mois – et aimait se faire un nœud Windsor digne d'un footballeur. Réussir ce nœud était cependant un défi. Il n'avait jamais été fichu de lacer ses souliers et portait des mocassins ou des baskets à scratch depuis le CM2, mais refusait de s'avouer vaincu devant une cravate.

« Tu viens juste de rater ta conquête », lui dit Ben. Bobby rougit et se détourna pour ouvrir un sac de viennoiseries rapportées la veille du travail.

« Je lui avais dit de dégager après sa douche, marmonna-t-il.

— Oui, eh bien, je pense qu'il a eu faim en cours de route. Du thé ?

— Ouais. »

Ben lui remplit un mug. Bobby servait des cafés à longueur de journée dans le kiosque de la gare et l'odeur lui soulevait le cœur.

« Tu le connais depuis longtemps ?

— Non. On s'est rencontrés sur Gaydar. Il est moche comme un pou, hein ?

— Je ne suis pas bon juge en la matière.

— Je voulais juste prendre un pot en fait. » Bobby se retourna en mastiquant bruyamment un croissant rassis. « C'était une baise charitable. » Il jura d'une manière expressive en se couvrant de miettes.

« L'expression exacte est "baise humanitaire", lui dit Ben en essayant de ne pas rire pour ne pas le vexer.

— Comme tu voudras. C'est difficile de refuser, fit-il en époussetant les miettes.

— Hmm. Il m'a dit de te dire au revoir, à propos.

— Ouais.

— Bourreau des cœurs.

40

— La ferme ! Il nous a rien piqué, au moins ?

— Non. T'as pris tes précautions, hein, Bobby ?

— Oui.

— Préservatifs et tout le bazar.

— Oui, gronda Bobby avec impatience avant d'avaler son thé à petites gorgées. Jamais sans ma capote. Je suis plus un gosse. » Il tira une chaise, s'assit en renversant du thé, puis se mit à éplucher une banane.

« Tu vas être en retard, lui dit Ben en jetant un coup d'œil à l'horloge.

— Mais non ! Ben ?

— Oui, qu'est-ce qu'il y a ? »

Bobby se gratta sous la table. « Je crois que je vais devoir venir à ta consultation.

— Pourquoi ? Tu veux que je t'examine ?

— Pas question ! s'exclama Bobby, horrifié.

— Je croyais que tu faisais attention.

— Mais oui.

— Alors quoi ? T'as des écoulements ?

— Berk ! Non !

— Une douleur ? »

Bobby secoua la tête, mais se gratta derechef.

« Ça te démange ? »

Bobby opina. « Ça a commencé ce matin. »

Ben eut un grand sourire. « C'est des morpions, Bob. Des poux du pubis.

— Ça gratte *vachement* !

— Et ça va empirer, devant comme derrière, si tu ne traites pas le problème. » Ben attrapa un des blocs-notes gratuits dont les laboratoires médicaux l'inondaient et un stylo offert par un labo concurrent. « Passe chez le pharmacien sur le chemin de la gare – celui qui se trouve près du feu rouge sera ouvert – et demande une bouteille de ça. Ensuite, va aux toilettes et mets-en bien partout où ça te gratte avec du papier hygiénique. Partout où tu as des poils.

— Sur la tête aussi ?

— Ta tête te démange ?

— Non.

— Parfait. Contente-toi des poils du pubis. Devant et derrière. Ça brûle un peu, mais ça fait très vite effet. Il va falloir ébouillanter tes draps.

— J'ai pas le temps.

— Je m'en occupe. Je ne commence pas avant neuf heures et demie.

— Ah, d'accord. Merci, Ben.

— Arrête de te gratter. Mange un toast.

— Pas le temps. » Bobby se leva en chancelant et jeta sa peau de banane dans la poubelle.

« Je te vois ce soir ? s'enquit Ben.

— Ouais. Au truc de Shirley et ensuite j'ai un rancard.

— Encore ? Bobby !

— Pas quelqu'un rencontré sur Gaydar. Un vrai rancard. Avec dîner et tout.

— C'est qui ?

— Un conducteur de train. Il est charmant.

— Dans ce cas, on ferait mieux de régler le sort de tes petites bêtes.

— Ouais. Merde. Faut que j'y aille.

— Tu t'es brossé les dents ?

— Je le ferai au boulot.

— Portable ?

— Oui. Clés ? Oui ! » Mais Bobby n'avait parcouru que la moitié du chemin qui le séparait de son vélo quand il s'arrêta, se tapa les poches, sourit jusqu'aux oreilles. « Non. »

Ben les ramassa sur le poste de télévision et les lui tendit.

« Je suis plus un gosse, lui dit Bobby derechef.

— Ça ne fait pas l'ombre d'un doute, Monsieur Robert. Allez, file acheter ce truc. »

Ben débarrassa la table et alla chercher les draps de Bobby. Il avait beau être adulte, il dormait toujours dans son petit lit, veillé par une photo de sa mère.

C'était un instantané charmant, pris sur le vif par un ou une collègue, le jour de son cinquantième anniversaire. Une bande d'amis lui avait fait la surprise de l'emmener avec les garçons sur le Kennet and Avon Canal pour la journée. Ils avaient emporté un pique-nique, du champagne et même un gâteau piqué de cinquante bougies : une journée de plaisir extravagante pour une femme qui faisait attention à tout. On l'avait persuadée de poser sur le toit du bateau, jambes ballantes – ce qui n'avait pas dû être facile, bien qu'elle eût de très belles jambes dont elle ne prenait aucun soin, car elle détestait qu'on la photographie. Au moment où l'obturateur allait se déclencher, Bobby lui avait enlacé les jambes pour lui planter un bisou aimant sur un genou. À la fois surprise et touchée, elle riait devant l'objectif et passait une main dans les cheveux neigeux de Bobby. Elle avait toujours été si stoïque, si souvent accablée et épuisée, jamais à court d'affection, mais parfois trop fatiguée pour l'exprimer, que c'était un plaisir de la voir révéler ce côté plus léger de sa personnalité. Ben avait un double de cette photo quelque part et ils l'avaient fait reproduire sur le faire-part des obsèques, mais il ne pouvait jamais la regarder sans se demander comment elle aurait vieilli si Bobby n'était pas né, s'il avait joui d'une meilleure santé ou été moins exigeant. Leur père l'aurait peut-être quand même quittée et elle aurait été la même femme, naturellement, mais sa personnalité, la distribution de la lumière et de l'ombre auraient peut-être été tout autres.

La photo n'était pas la seule à surmonter le lit de Bobby. Plusieurs autres clichés punaisés au mur veillaient sur son sommeil : George Clooney, Tommy Lee Jones, et, pour une raison inexplicable, une coupure de magazine en lambeaux montrant Barbara Castle[1]. Sans fureter, Ben repéra deux préservatifs usagés en défaisant le lit et fut rassuré.

Le téléphone sonna au moment où il mettait les draps dans le lave-linge et il laissa le vieux et apparemment increvable répondeur à cassette de sa mère prendre le message. Il entendit sa propre annonce qui, selon Bobby, donnait l'impression qu'ils étaient un vieux couple gay sans aucune vie sociale, puis la voix de sa femme :

« Oh, la barbe ! Bonjour les gars, c'est Chloë. Ben, tu es là ? Je voulais juste bavarder... »

Il se figea, fixa le répondeur. Il entendait la respiration de Chloë et le cliquetis de clés de voiture qu'elle triturait nerveusement.

« Bon..., dit-elle. Je vais essayer sur ton portable. Salut à tous les deux. »

Il sauta sur le combiné. « Chloë ?

— Ah, tu es là. »

---

1. Femme politique britannique (1911-2002) qui fut plusieurs fois ministre dans des gouvernements travaillistes.

— Oui. Salut. Désolé. Je m'apprêtais à partir au travail.

— Bon, je te rappelle sur ton portable, comme ça tu pourras parler en marchant.

— Non. C'est moi qui te rappelle. Laisse-moi cinq minutes pour me brosser les dents, etc., je vais être en retard sinon.

— Mais est-ce que tu le feras ? La dernière fois, tu...

— Oui, oui. Promis. Sans faute. Cinq minutes. » Il raccrocha et s'aperçut que son cœur battait la chamade.

Si seulement elle était devenue un monstre, ce serait tellement plus facile. Curieusement, elle était beaucoup plus proche de la monstruosité lorsqu'il était tombé amoureux d'elle. Elle avait des valeurs complètement fausses, était d'une vanité ridicule et pleine de clichés politiquement douteux, sous des dehors naïfs et charmants. Mais sur le plan physique, c'était une splendeur : peau dénuée de la moindre imperfection, cascade de cheveux mordorés, grands yeux gris à la fois affligés et accueillants. Elle avait le même âge que les autres filles de sa promo à Oxford, mais était si soignée et posée en comparaison, si mûre en apparence, qu'elle possédait tout le charisme d'une femme plus âgée sans être ternie par l'expérience.

Ce fut un secret soulagement de découvrir qu'elle n'était pas à la fois mannequin *et* intellectuelle. Ben avait de telles œillères à l'époque que tous les étudiants en lettres lui paraissaient intelligents parce qu'ils étaient cultivés et mettaient du piment dans la conversation. Chloë ne faisait pas exception à la règle – elle étudiait le français –, et ce n'est qu'au bout de plusieurs rencontres qu'il s'aperçut que son admission à Oxford était due au bachotage efficace pratiqué par son pensionnat et non à l'originalité de sa pensée ni même à sa soif d'apprendre. Livrée à elle-même, elle se laissait aller intellectuellement depuis qu'elle avait réussi ses examens de première année, pillait sans vergogne les notes et les dissertations d'étudiants plus bûcheurs et devrait s'estimer heureuse si elle décrochait sa licence de justesse.

Il l'avait remarquée aux abords de son collège – comment faire autrement ? – mais, supposant qu'elle n'était ni libre ni à sa portée, il s'était contenté de l'admirer à distance.

Graviter dans son orbite était aussi déboussolant que de devenir inopinément l'ami d'une célébrité. Son côté glamour lui tourna la tête. À une époque où la plupart des étudiantes, y compris Laura, étaient des *femmes* au sens politique, sa féminité le perdit. Sans compter le plaisir honteux d'avoir une fille que désiraient tous les autres hommes. Ses attraits étaient exclusivement physiques, ou liés à la réaction qu'elle suscitait chez autrui. Si au cours de leur relation les paroles et les actes de Chloë révélèrent des aspects moins séduisants de sa personnalité, il s'aperçut qu'il pouvait les ignorer comme on ferme les yeux sur les effets néfastes pour la santé d'un mets ou d'une boisson particulièrement délicieux.

Pourtant, d'une terrible façon, à mesure que leur mariage prenait de la bouteille, c'était comme si elle avait senti que son amour pour elle mourait à petit feu et que sa souffrance l'ait rendue meilleure, à des degrés à peine perceptibles. Elle n'avait toujours aucun sens de l'humour, surtout à ses propres dépens, mais s'efforçait de comprendre les choses qu'elle rejetait autrefois. Elle avait pris ses distances avec la sauvagerie politique de son père ainsi qu'avec son ascendant infantilisant, étouffant, et, grâce à son travail de bénévole dans une école spécialisée, s'était fait un tas de nouveaux amis auxquels la vieille Chloë (ou plutôt une Chloë plus jeune) n'aurait même pas daigné adresser la parole. La relation qu'il avait avec elle était à présent empreinte d'une ambiguïté coupable qu'elle eût trouvée jadis des plus suspectes, mais qu'elle affrontait désormais avec une sollicitude aimante.

Si je la rencontrais pour la première fois aujourd'hui, nous pourrions même devenir amis, songea-t-il en verrouillant la porte d'entrée. Il considéra le visage souriant de sa femme sur son écran de portable qu'il tapota pour l'appeler.

« Allô. C'est moi. Comment ça va ? » dit-il.

Il n'aimait pas marcher et parler en même temps : ça causait des ravages sur sa concentration et le rendait plus susceptible de dire une bêtise ou de prononcer une parole irréfléchie. Ayant largement le temps, il continua jusqu'au parc pentu et non clôturé d'Oram's Arbour et s'assit sur un banc encore humide de rosée.

Chloë parla de son travail à l'école, qu'elle adorait, et de son travail dans une banque d'affaires, qu'elle s'était mise à haïr. Elle expliqua que l'école lui avait une fois de plus offert un poste à plein temps rétribué. Accepter ? Refuser ? Elle hésitait. Elle passa ensuite à un déjeuner dominical donné par des amis qu'elle croyait avoir en commun avec lui, mais qui étaient des amis à elle, exclusivement, des gens qui avaient instinctivement pris Ben en grippe et qui espéraient sans doute que son absence deviendrait permanente afin de pouvoir renforcer leur influence sur elle et lui dire qu'ils l'avaient prévenue.

« Tu n'écoutes pas », dit-elle soudain et il se rendit compte que c'était vrai, qu'il était d'un coup plus tard qu'il ne le croyait.

« Mais si, je t'écoute, protesta-t-il en se levant d'un bond et en se mettant à grimper Step Terrace en direction de l'hôpital.

— Ben, il faut que je te pose une question.

— Oui ?

— Il y a quelqu'un d'autre ?

— Qu'est-ce que tu entends par là ? demanda-t-il, horrifié, essayant de gagner du temps, feignant de ne pas comprendre, comme il le faisait très souvent avec elle.

— Putain, à ton avis ? » s'écria-t-elle avant de renifler un grand coup, et il s'aperçut qu'elle pleurait déjà ou luttait contre les larmes.

Il imagina le geste furieux avec lequel elle les chasserait – furieux, certes, mais pas au point de déloger un verre de contact.

Au cours des deux dernières années, il avait souvent envisagé la possibilité d'une rupture. Trois raisons apparentées l'en avaient toujours empêché. Il répugnait à lui faire du mal et se sentait coupable qu'elle le croie meilleur qu'il n'était. Enfin, il était paralysé de dégoût pour lui-même, car il savait qu'au fond de lui il la méprisait un tant soit peu de ne pas être assez intelligente.

« Tu as rencontré quelqu'un ? » demanda-t-elle.

Il s'engouffra dans la brèche en méprisant sa lâcheté. « Non, fit-il en se représentant Laura comme une étudiante qu'il connaissait depuis plus longtemps que sa femme. Il n'y a personne. Chérie, il faut qu'on se parle…

— Je déteste que tu m'appelles comme ça.

— Pardon. Pardon. Mais le moment est mal choisi. Je dois foncer au boulot. »

Elle renifla à nouveau. Il entendit son alliance heurter le combiné. « Quand alors ? Ce soir ? »

Il réfléchit, se souvint du service commémoratif. « Je dois accompagner Bobby juste après le travail.

— Ce week-end ?

— D'accord. C'est ça. On se parle ce week-end.

— Désolée d'avoir crié.

— Ne dis pas de bêtises. Désolé d'être aussi contrariant.

— Je t'aime, Ben », fit-elle.

Et la réponse la plus honnête qu'il put trouver fut de dire simplement « Je sais », avant de raccrocher.

Petit déjeuner

COMPOTE D'ABRICOTS OU DE PRUNEAUX ACCOMPAGNÉE de yaourt maison, pain complet grillé, miel épais et café. Laura avait depuis longtemps pris l'habitude parisienne de ne quasiment rien avaler au petit déjeuner, mais à force de le préparer chaque jour pour sa mère, elle s'était laissé peu à peu tenter. Sauf si maman avait passé une très mauvaise nuit, c'était un des festins les plus joyeux de la journée : le menu invariable épargnait chocs et déceptions, la conversation était légère, émaillée de petites notes d'optimisme, maintenue à flot par la fiction soigneusement entretenue qu'elles étaient toutes les deux encore en mesure de faire des projets.

« Je pensais déplacer le camélia près de la citerne, disait sa mère. Ou l'arracher, tout simplement. On ne peut pas dire qu'il se plaise là où il est et les nouvelles pousses ont une vilaine couleur de vomi. »

Ou alors elles discutaient d'une pièce ou d'une exposition dont il était question dans le journal du matin et convenaient qu'elles devaient *absolument* la voir, sans aller jusqu'à commettre l'imprudence de réserver.

L'arrivée du courrier leur donnait beaucoup de grain à moudre. Le Pr Jellicoe avait toujours reçu des invitations à des colloques, des conférences, des réunions d'anciens élèves ou à des collectes de fonds au profit d'hôpitaux ou d'universités, mais le flot paraissait à Laura moins impressionnant qu'autrefois, comme si les expéditeurs s'étaient enfin rendu compte que sa mère disait rarement oui à présent. Elle prenait cependant toujours la peine de refuser par écrit, « Pour qu'ils sachent que je suis encore en vie », disait-elle, et vraisemblablement parce que ces invitations représentaient un maigre filet de reconnaissance professionnelle.

Les catalogues qu'elles recevaient presque quotidiennement étaient beaucoup plus intéressants, maman ayant découvert avec son invalidité les plaisirs du téléachat. Laissant des marques de beurre et des miettes sur les pages, elles examinaient avec un intérêt minutieux pantoufles et gants, sous-vêtements en Thermolactyl, graines pour oiseaux, cachemire à prix écrasé et gadgets ingénieux, mais passaient rarement commande.

« Je viens juste d'acheter vingt kilos de mélange pour oiseaux chanteurs et une boîte d'anguilles séchées. Pourquoi diable aurais-je encore envie d'en commander immédiatement ? »

Laura recevait des faire-part de naissances et des invitations à des soirées d'anniversaires marquants. Tous ses amis en âge de convoler s'étaient mariés ou résignés au célibat. Lui parvenait invariablement de la correspondance liée à son travail : lettres du fisc ou grosses enveloppes matelassées contenant reçus et explications. C'était plutôt maman qui avait tendance à recevoir de *vraies* lettres, peut-être parce qu'elle en écrivait encore. Utilisatrice expérimentée d'internet pour la communication professionnelle, elle résistait aux charmes paresseux du courriel personnel. Elle ne se lassait jamais de souligner le nombre de ses amis qui étaient morts, mais gardait des contacts étonnamment réguliers avec deux correspondantes auxquelles elle écrivait depuis l'enfance, l'une en Suède, l'autre au Canada. Anna-Birgit, la Suédoise, était la veuve d'un exploitant agricole, Joyce, la Canadienne, une femme au foyer qui faisait beaucoup de confitures et élevait des bergers des Shetland. Si les trois femmes avaient été réunies, elles auraient eu encore moins de choses en commun que du temps où elles étaient des écolières en uniforme, mais elles s'écrivaient depuis si longtemps que, sur le papier du moins, la météo et le fait même de vieillir étaient devenus le territoire qu'elles patrouillaient ensemble. Laura, qui avait grandi avec les communiqués réguliers de ces correspondantes, avait récemment eu le plaisir de combler ses lacunes, comme on le ferait pour un vieux feuilleton. Anna-Birgit et Joyce n'étaient ni des femmes d'esprit ni même des virtuoses de la prose, mais la simple longévité de leur correspondance conférait à la mort d'une vache favorite ou au rappel au Seigneur d'un voisin difficile mais supporté depuis longtemps la qualité d'un grand drame.

Aujourd'hui pourtant, le seul point fort du petit déjeuner était une carte postale de Polzeath, dont ni l'une ni l'autre ne parvenaient à déchiffrer la signature. Maman ne se rappelait pas que quiconque lui ait parlé d'aller en Cornouailles et décida qu'il devait s'agir de quelqu'un qu'elle ne voyait quasiment plus – une petite cousine – qui lui écrivait par devoir et non par affection.

« Ce qu'il y a de bien avec les cartes de vacances, c'est qu'il n'est pas nécessaire d'y répondre. C'est donc sans importance », dit-elle avant de la mettre sur la petite étagère surmontant la table de cuisine, où elles pouvaient admirer ses falaises, son sable et son ciel d'un bleu improbable.

« Consultation de la chute à onze heures et demie, lui rappela Laura en remplissant de nouveau leurs tasses.

— Merde », dit maman en déchirant le film plastique d'une revue d'anciennes élèves de St Swithun's qui traînait depuis deux jours.

Les parents de Laura n'avaient passé leurs vacances au bord de la mer qu'une seule fois : ils avaient emporté des tentes et campé à Espiguette, juste à la sortie d'Aigues-Mortes. Le reste du temps, ils étaient retournés, année après année, dans le même camp de naturistes situé dans le Dorset.

Summerglades. L'endroit était si profondément gravé dans la mémoire de Laura et elle était si petite quand elle y était allée pour la première fois qu'il lui suffisait d'entendre ou de lire le mot *glade* ou même *summer* pour sentir des aiguilles de pin s'écraser sous ses pieds ou l'odeur croupie et sucrée de l'eau du lac séchant sur sa peau.

C'était un domaine agricole vieux de plusieurs siècles au centre duquel s'étendaient un vallon boisé ainsi qu'un long lac de forme irrégulière, résultat de l'endiguement partiel du cours d'eau qui coulait au fond. Un héritier de l'exploitation avait eu une révélation lors de son voyage de noces en Bavière dans les années 20 et avait créé un camp de vacances où les visiteurs étaient invités à enlever leurs vêtements pendant la durée de leur séjour.

Les vacanciers étaient logés dans quelques chalets de bois tout simples sous les arbres. Il y avait un bloc de douches pour les femmes et un autre pour les hommes, une salle de loisirs (un abri en tôle ondulée avec un gymnase d'un côté et des chaises et des tables de l'autre) et un restaurant-salle de bal (également en tôle, mais avec des meubles de meilleure qualité). On pouvait se promener dans la forêt, nager dans le lac, faire de l'aviron ou de la voile, de la bicyclette sur les sentiers du bois ou simplement lézarder au soleil. Cette dernière option était rarement choisie, car même par une chaude journée dans ce vallon abrité, les heureux naturistes avaient besoin de se remuer pour ne pas se geler. Les animateurs, un homme et une femme, organisaient des activités sportives plusieurs fois par jour. L'équitation, un jeu proche du base-ball, le cricket avec une balle de tennis et le badminton étaient populaires. Comme les vacanciers tendaient à arriver et à repartir le samedi, un tournoi âprement disputé avait lieu tous les vendredis après-midi – une compétition sportive naturiste –, avec courses en sac, à trois pattes, à la cuillère, corde lisse, concours de natation et course d'obstacles. Ayant passé la semaine à s'entraîner, la plupart des enfants avaient l'avantage.

Le soir, après la tombée de la nuit, les familles s'habillaient pour le dîner, après quoi elles dansaient au son d'un juke-box gratuit, mais avaient parfois droit à un exposé illustré de diapositives de la part d'un des vacanciers. Cela allait de l'érudition – l'ornithologie, la botanique et les civilisations anciennes étant les sujets qui revenaient le plus souvent – à des projections moins intellectuelles de diapos ou de films de vacances, d'un comique souvent involontaire.

Il n'y avait pas d'église – détail qui avait initialement attiré les grands-parents progressistes de Laura vers ce camp de vacances – mais, tous les dimanches, on voyait une poignée de fidèles s'éclipser une heure ou deux, mal à l'aise, fuyants même, en costumes et chapeaux.

Si Summerglades provoquait le moindre malaise chez Laura, c'était rétrospectivement. Elle n'en avait pas de mauvais souvenirs. Habitué de longue date grâce aux grands-parents déjà mentionnés, son père avait présenté l'endroit – et le naturisme – à sa mère peu de temps après leur rencontre et y avait emmené Laura deux fois par an depuis qu'elle était toute petite, de sorte qu'elle éprouvait envers le camp le même sentiment chaleureux de propriété que des enfants plus riches envers une maison de vacances en Cornouailles ou une villa en Provence. La plupart des jeunes enfants adoraient la nudité tapageuse et elle n'avait jamais oublié le plaisir sauvage qu'elle avait éprouvé à courir les bois au milieu d'une bande de gamins nus comme des vers, maculée de boue, d'herbe et de l'eau des mares, sans risque d'être grondée. La principale justification du naturisme, affirmait toujours son père, c'est qu'il vous guérit de la pruderie et de la lubricité, en quoi il avait raison. Accoutumée depuis sa prime enfance à voir des corps nus de tous âges et de toutes sortes, non seulement Laura n'éprouvait pas la moindre gêne personnelle, mais elle ne jugeait jamais autrui. Les vêtements laids la révoltaient, mais pas les gens. Face à des corps gros, vieux, ou qui sortaient de l'ordinaire, elle demeurait d'une neutralité consternante pour ses amis français, aux yeux de qui l'élégance corporelle – au même titre que le chic vestimentaire – était considérée comme un devoir civique.

La puberté était la seule période où elle se rappelait avoir été mal à l'aise dans le camp naturiste. Elle avait passé deux séjours consécutifs à se sentir bizarre et à bouder en maillot de bain une pièce, mais uniquement parce qu'elle avait ses règles et ne possédait pas le courage et l'aplomb des femmes que ses petits sauvageons de copains surnommaient *sachets de thé*. Elle n'éprouva aucun embarras à voir pousser ses seins ou ses poils – depuis des années, elle jetait des regards furtifs et fascinés aux filles et aux garçons plus âgés et y était donc plutôt bien préparée – et tira même une certaine fierté de ces transformations.

C'était un autre aspect de Summerglades qui la mettait mal à l'aise. Il ne s'agissait que d'un Éden créé par l'homme, bien sûr, non dénué de serpents – il y avait des liaisons, des mariages qui partaient à vau-l'eau et, en de rares occasions, des pères et des frères qui vous détaillaient du regard ou étaient un peu trop portés sur les sports de contact. Mais on raillait ou signalait ces peccadilles qui, à l'instar de l'amour en plein air ou même du pelotage, se soldaient par un bannissement rapide et inconditionnel. Laura se rendait compte à présent que ces vacances n'étaient pas seulement pour ses parents l'occasion d'oublier leur travail et leurs étudiants pour se consacrer entièrement aux joies de la famille, mais qu'elles avaient dû figurer également parmi les rares circonstances où ils avaient sérieusement prétendu être mariés. Les hommes célibataires de plus de dix-huit ans étaient interdits de séjour à Summerglades ainsi que les appareils photo et les caméras, à la suite de deux incidents malencontreux – l'un avec le magazine naturiste *Health and Efficiency*, l'autre avec un cinéma de Soho.

Tout en fixant la mystérieuse carte postale de Cornouailles, Laura se rendit compte avec le recul que ni son père ni sa mère ne lui avaient indiqué l'attitude à adopter sur le sujet. Elle avait senti d'instinct que ses camarades d'école se méprendraient sur le naturisme. On ne lui avait jamais dit que c'était sale ou honteux, mais l'idée avait dû implicitement passer que leur plaisir innocent ne serait pas compris ni apprécié de tout le monde. Lors de chaque séjour à Summerglades, ils partaient en excursion chez les *textiles*, comme disait son père, afin de visiter châteaux et villages, églises et salons de thé. On récupérait l'appareil Instamatic caché dans la boîte à gants et on faisait des photos qui finissaient dans un album en vue de constituer un compte rendu officiel des vacances. C'étaient des excursions aussi agréables qu'instructives, mais, parce qu'il fallait s'habiller, elles donnaient inévitablement l'impression de constituer une interruption des vacances proprement dites, et la petite collection d'albums qui leur étaient consacrés semblait un souvenir imparfait, pour ne pas dire hypocrite.

Comme leur relation les contentait pleinement, ses parents étaient du genre à avoir des collègues plutôt que des amis. Ils se déshabillaient souvent dans la maison et le jardin, du moins le week-end. Ils n'avaient pas d'amis naturistes, non plus que Laura, en dehors de la petite bande retrouvée chaque été à Summerglades, si bien que pour eux recevoir voulait dire sélectionner des vêtements et s'efforcer de passer pour une famille normale. Contrainte ayant immanquablement pour résultat que collègues et camarades d'école étaient rarement invités deux fois.

Laura devint réservée en grandissant. Un bulletin scolaire releva très tôt : *Lara reste sur son quant-à-soi.* (Elle se prénommait Lara à l'époque, en référence à l'héroïne passionnée et partagée du célèbre roman de Pasternak, mais en eut tellement assez d'entendre seriner la *Chanson de Lara* à l'école qu'elle ajouta un *u* à la première occasion.) Elle dressa autour de sa vie de famille un rempart aussi épais que les haies d'escallonia de ses parents. Très tôt également, elle prit l'habitude d'avoir une vie privée qui échappait à la vigilance parentale de sorte qu'aujourd'hui encore sa mère ignorait beaucoup de choses d'elle. À ses yeux, il ne s'agissait pas de cachotteries mais de dignité : le maintien d'un certain ordre. Maintenant qu'elles vivaient de nouveau sous le même toit, elle se donnait beaucoup de mal pour respecter l'intimité de sa mère chaque fois que c'était possible et comptait sur elle pour lui rendre la courtoisie.

Quant à l'effet du naturisme parental sur sa vie amoureuse, Laura se sentait bien dans sa peau et se déshabillait avec un naturel impressionnant. Mais cette pratique avait aussi dépouillé à ses yeux la chair nue de tout pouvoir excitant. Pour elle, l'érotisme se trouvait à la périphérie du corps : dans les vêtements, les odeurs, le son d'une voix d'homme. Elle faisait l'amour comme une aveugle, lui avait dit Graydon, le banquier.

Un avis de décès paru dans le magazine des anciennes élèves de St Swithun's avait échappé à l'attention de sa mère et nécessitait une réponse. Elle entreprit d'écrire une lettre de condoléances tardive pendant que Laura débarrassait la table du petit déjeuner et mettait tasses et assiettes dans le lave-vaisselle.

« Tu veux un coup de main pour t'habiller, plus tard ? demanda-t-elle.

— Non, ça ira », répondit maman, qui fixait son bloc de papier à lettres en fronçant les sourcils.

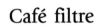

Café filtre

BEN BUT UNE AUTRE GORGÉE DU CAFÉ FILTRE de la salle de repos et grimaça. Toute une matinée passée sur une plaque chauffante n'avait pas amélioré les qualités gustatives du breuvage. Ben vida le restant de sa tasse dans l'évier, puis sortit sur l'escalier de secours extérieur pour respirer quelques bouffées d'air relativement frais avant que la culpabilité ne le pousse à rentrer s'occuper du patient suivant.

Le County Hospital de Butterfield, à la façade polychrome apparentée à celle du musée d'Histoire naturelle de Londres et du musée Pitt-Rivers d'Oxford, avait beau avoir été construit en 1863 au sommet d'une colline afin de bénéficier d'un air plus sain, il se trouvait ostensiblement à l'extérieur de la ville, sur un terrain réservé jadis aux indésirables : prisonniers, charniers de pestiférés, morts et malades contagieux. Dans ce qui ressemblait à un héritage de pratiques édouardiennes, le Centre des maladies sexuellement transmissibles, plus connu sous le nom de service MST, était abrité par un sinistre pavillon de brique rouge séparé du reste de l'hôpital, enclavé entre un cimetière, une route très passante et la prison, sur une portion de Romsey Road au trottoir horriblement étroit.

À force de grimper la colline pour se rendre à son travail, Ben n'avait pas tardé à repérer les détenus récemment libérés qui se dirigeaient vers la gare routière ou de chemin de fer, car ils avaient tendance à transporter leurs maigres biens dans des sacs en plastique transparent révélateurs. Les terrains à bâtir étaient devenus si rares, les prix de l'immobilier si ridiculement élevés qu'il était question d'aménager la prison en appartements de luxe : la partie la plus ancienne était classée monument historique après tout, et le fait que la Tess de Thomas Hardy y avait été pendue pour meurtre lui assurait une immortalité macabre. Il était néanmoins difficile d'imaginer les habitants d'un endroit aussi cossu consentant à la construction d'une nouvelle prison qui ne leur fût pas invisible, et de préférence située à distance respectueuse.

Comme les écoles victoriennes, la consultation MST n'était pas mixte, il y avait donc deux zones d'attente séparées par des salles de repos communes. Ben avait brièvement été stagiaire dans une consultation pour femmes durant son internat, à l'époque où il était strictement chaperonné, mais les patients préféraient voir des médecins et des infirmiers du même sexe, et la réciproque était vraie. Ben n'en était pas certain – il n'était pas bon juge en la matière –, mais il croyait que la plupart de ses infirmiers étaient gays, et des commentaires surpris en salle de repos et aux W-C l'avaient amené à conclure que certains d'entre eux pensaient la même chose de lui.

De retour à son bureau, il jeta un coup d'œil au nom du patient suivant sur son écran d'ordinateur, puis ouvrit la porte de sa salle de consultation et regarda le groupe d'hommes disséminés dans la zone d'attente.

« Bruno ? »

Un homme mince aux cheveux bruns se leva et esquissa un geste timide de la main. Il était habillé comme pour un entretien d'embauche.

« Bonjour, lui dit Ben. Par ici. » Il referma la porte derrière eux. « Asseyez-vous, fit-il avant de s'asseoir également, à côté de son bureau, comme on le lui avait appris, et non derrière. C'est la première fois que vous venez ici, je crois.

— Oui. » Il était à peu près du même âge que Bobby, plus jeune peut-être.

« Bon, comme on vous l'aura expliqué à la réception, votre présence ici et tout ce que nous ferons pour vous restera strictement confidentiel. N'ayez donc aucune crainte de voir vos propos rapportés à votre employeur, votre généraliste ou qui que ce soit. Qu'est-ce qui vous amène ?

— J'ai… des écoulements.

— Oui ? fit Ben d'un air qu'il espérait encourageant.

— Devant.

— D'accord. Accompagnés d'une gêne ?

— J'ai mal quand je pisse.

— Depuis quand ?

— Deux, non, trois jours.

— Vos derniers rapports sexuels remontent à quand ? »

On parlait toujours de *rapports sexuels* et non de *faire l'amour* car l'expression la moins chargée sur le plan affectif invitait à la franchise. Certains confrères disaient *baiser*, mais quand Ben employait le mot, il lui semblait d'une grossièreté artificielle.

« Au week-end dernier. À une conférence.

— C'était une partenaire régulière ?

— Non. Juste une fille, une autre déléguée. » Ben encouragea l'homme du regard, puis jeta un coup d'œil exercé à son alliance. « Mon partenaire n'est pas au courant. »

Ben arrêta de prendre des notes. « Et vous n'avez pas couché avec lui depuis le week-end ?

— Euh, non, on a partagé le même lit, bien sûr, puisqu'on vit ensemble et on s'est fait quelques câlins, mais on n'a pas...

— Fait l'amour, compléta Ben, parce que c'étaient ces pointes d'espièglerie qui rendaient le travail supportable.

— Non, fit l'homme en piquant un fard.

— Bon, très bien. Ça fait un problème en moins ! Quand vous avez des rapports sexuels avec lui, est-ce que vous utilisez des préservatifs ?

— Non.

— Et pourquoi ça ? »

L'homme rougit encore plus. « On est fidèles. En règle générale.

— Bien sûr. Et quand vous avez des rapports sexuels, ou quand vous faites l'amour, vous pratiquez le coït anal ?

— En général.

— Vous le pénétrez ?

— Non, non. En général, c'est lui qui me baise.

— Je vois. Eh bien, Bruno, on ferait bien de procéder à un bilan approfondi. Si vous voulez bien entrer ici. »

De chaque côté se trouvaient de minuscules salles d'examen auxquelles le personnel infirmier avait un accès séparé. Ben demanda à Bruno d'enlever son costume et de baisser son caleçon. Il enfila une paire de gants en latex et lui examina le pénis et le scrotum, s'assura délicatement que le prépuce n'était pas bloqué sur le gland et regarda dans le méat urinaire : l'écoulement était encore assez aqueux. Il vérifia aussi qu'il n'y avait ni poux, ni gale, ni grosseurs, ni verrues. Par chance, Bruno n'était pas de ces patients – hétéros ou gays – qui ne peuvent maîtriser leur excitation au contact du latex ou au simple fait d'être examiné. Ben n'avait jamais trouvé la parade idéale. À l'évidence, feindre poliment l'indifférence s'imposait, toute autre réaction pouvant s'avérer désastreuse, pourtant, ignorer délibérément la situation semblait toujours un tantinet discourtois. Un patient prodigieusement bien monté avait une fois deviné son dilemme et réussi à surmonter sa propre gêne pour lui dire : « Vous pourriez toujours applaudir. »

Comme beaucoup de patients de la consultation MST, Bruno sentait la savonnette à plein nez. Lors des innombrables interrogatoires auxquels Ben avait eu droit au fil des ans dans les dîners en ville, les convives avaient tendance à supposer que ses patients étaient sales et il se sentait toujours tenu par l'honneur d'expliquer que mus par la honte ou un sens du décorum, la plupart arrivaient à leur rendez-vous après une toilette scrupuleuse et récente et arboraient souvent des plaques légèrement enflammées tellement ils s'étaient récurés.

À ces mêmes dîners, les hommes, moins souvent les femmes, voulaient savoir si les pénis qu'il voyait étaient d'une taille spectaculaire ou d'un riquiqui grotesque, et il pouvait les rassurer en toute honnêteté : la plupart, assez curieusement, étaient de taille moyenne, ni pitoyables ni effrayants. Mais il aimait à l'occasion faire honte aux esprits lubriques en signalant que les hommes peu gâtés par la nature risquaient beaucoup moins de se présenter à une consultation MST car ils avaient beaucoup moins de chances de trouver des partenaires sexuels et que la peur du ridicule les avait de toute façon assez vraisemblablement dégoûtés du sexe.

Ben demanda ensuite à Bruno de s'allonger sur le côté et de remonter les genoux pour effectuer un toucher rectal. En retirant son doigt, il vérifia que ses gants ne portaient aucune trace de sang avant de les jeter.

« Parfait, Bruno. Aucune inquiétude à avoir. Rien de grave. Restez ici, un infirmier va venir effectuer des prélèvements rapides – urétral, rectal et buccal –, suivis d'une prise de sang. Il frappera avant d'entrer pour que vous ne sursautiez pas. Il vous demandera aussi un échantillon d'urine – on vous laissera vous débrouiller tout seul pour ça, ne vous tracassez pas. Nous ferons une PCR sur urine en vue de déceler des traces d'infection virale ou bactérienne. Les prélèvements nous permettront de vérifier sous microscope s'il n'y a pas d'augmentation du nombre des leucocytes. On effectuera un contrôle de routine pour l'hépatite A et B, mais est-ce que vous souhaiteriez aussi vous soumettre à un test de dépistage du virus VIH pendant que vous y êtes ? »

Bruno s'assit au bord de la table d'examen et préserva sa pudeur avec ses pans de chemise. « Vous voulez dire le sida ?

— Hmhm, fit Ben en hochant la tête.

— Non merci.

— Certain ?

— Sûr et certain.

— Comme vous voudrez. Enfin, si, comme ça paraît probable, vous avez ramassé une infection, nous serons évidemment en mesure de vous traiter, mais nous devons à tout prix empêcher qu'elle se répande. Avez-vous un moyen quelconque de contacter ou de nous permettre de joindre la déléguée de la conférence ? Nous pourrions le faire anonymement.

— Non, répondit Bruno d'un air inquiet. Impossible. Désolé, mais bon, je ne sais même pas son nom ni pour qui elle travaille.

— Dommage. Peut-être qu'elle se présentera d'elle-même à l'autre consultation. Bon. Quand l'infirmier en aura terminé avec vous, il faudra patienter en salle d'attente pour les résultats. Ou prendre rendez-vous et revenir, mais il vaut mieux, évidemment, que nous vous traitions dès aujourd'hui.

— Ce sera long ?

— Une demi-heure si vous avez de la chance. À bientôt donc. »

Les résultats d'examen d'un patient précédent étaient arrivés pendant qu'il s'occupait de Bruno. Il retourna dans la zone d'attente et appela Tim. Deux hommes se levèrent.

« Désolé, dit Ben. Tim 1972. »

Entre neuf heures et demie et le moment de sa pause déjeuner, Ben examina trente pénis et huit rectums. Six de ces derniers étaient gays, un était bi et le dernier, hétéro, mais son propriétaire était si persuadé, contrairement aux apparences médicales, qu'il *lui était arrivé des bricoles* lors d'un séjour en camping que Ben l'adressa à un psychothérapeute.

Tous les patients qui l'avaient consulté souffraient d'une infection vénérienne banale, à part l'un des deux hommes envoyés par leurs nouvelles petites amies qui exigeaient un feu vert avant d'accepter de coucher avec eux. Constat déprimant, c'étaient les seuls de toute la matinée à avoir demandé un test de dépistage du sida.

Les hommes qui venaient aux consultations MST représentaient un ensemble humain qui variait peu d'un jour sur l'autre, à l'exception de détails parfois surprenants. Un des patients de ce matin avait sucé une femme avec tant d'ardeur qu'il avait récolté des morpions dans les sourcils. Un autre avait négligé de s'occuper de sa blennorragie pendant si longtemps qu'il sécrétait un pus d'un vert cauchemardesque plutôt que de l'habituel blanc cassé.

Les MST étaient probablement la spécialité qui présentait le moins de variété en termes de cas à traiter et celle où il y avait le plus de patients convaincus que leur condition était particulièrement honteuse ou révoltante. La plus ennuyeuse sur le plan médical, mais l'une des plus riches sur le plan humain. Ce n'était pas le domaine favori de Ben – il préférait le traitement des patients séropositifs mais les deux consultations avaient tendance à être administrativement liées, à défaut de l'être matériellement, à la fois pour faire des économies et parce qu'elles se rejoignaient sur le plan de la prévention.

Étudiant, Ben était captivé par la virologie et caressait le rêve de consacrer sa carrière à la recherche, de trouver un moyen de guérir une maladie résistant à tous les traitements, ou du moins la clé génétique qui baliserait le chemin menant à une telle découverte. Il avait fait son internat à Chelsea, dans ce qui s'appelait alors le St Stephen's Hospital, et avait été affecté au pavillon Thomas-Macaulay au moment où la première vague de cas de sida y était admise. Le choc de voir des patients soignés d'un syndrome pour lequel il existait peu de traitements concluants, dans un pavillon fermé à clé mais néanmoins assiégé par des journalistes essayant d'y pénétrer au culot et des photographes braquant dessus leur téléobjectif depuis les escaliers d'incendie dans l'espoir d'un scoop morbide, tira Ben du long sommeil de ses études et il se découvrit soudain une vocation hospitalière. Même la recherche sur le virus du sida – beaucoup mieux payée et prestigieuse – ne pouvait l'emporter sur la satisfaction qu'il tirait à batailler pour prolonger, puis sauver des vies sur un terrain médical dont la cartographie était encore à établir.

Le père de Chloë était cardiologue. D'un manque de curiosité choquant, dédaigneux de tout ce qui n'était pas sa spécialité, il n'avait jamais surmonté sa déception : aucune de ses trois filles ne s'était montrée assez studieuse ni assez scientifique pour marcher sur ses traces. Chloë était la plus travailleuse et avait au moins réussi à entrer à Oxford, mais il avait décrété que le français était une *matière de filles*, ce à quoi Chloë s'était contentée d'opposer un « Papa ! » et un éclat de rire. Elle s'attira cependant en partie ses bonnes grâces en lui offrant un gendre médecin. Le simple savoir-vivre l'empêchait de le dire en public, mais il était dégoûté que Ben oriente délibérément sa carrière vers ce qu'il considérait comme une voie de garage, et au début Chloë se fit dûment l'écho de la consternation paternelle.

Grâce à Hollywood et aux familles royales européennes, le sida et les organisations caritatives luttant contre cette maladie connurent cependant leur heure de gloire et Chloë trouva un moyen de tirer son épingle du jeu. Elle avait obtenu par relations un travail dans une banque d'affaires. Mais durant son temps libre, elle participait à des collectes de fonds, servait de chauffeur aux patients et consacrait un samedi sur quatre à leur livrer des repas à domicile. Puis l'hécatombe prédite ne se produisit pas, du moins pas dans la population blanche aisée, et les organisations caritatives reportèrent leur attention sur d'autres causes tandis que les services de Ben se remplissaient de patients moins glamour, de plus en plus de réfugiés – dont beaucoup étaient des femmes violées dans les conflits du Rwanda, du Zimbabwe et du Soudan et leurs bébés contaminés – et de drogués que les bénévoles durent apprendre à appeler toxicomanes.

À la grande surprise de Ben, Chloë découvrit qu'elle aimait s'engager au-delà des simples collectes de fonds. Elle aimait se salir les mains, du moins métaphoriquement. Le côté imprévisible des contacts humains lui plaisait. Prenait-elle goût à faire le bien ou tirait-elle simplement un certain plaisir à provoquer son père ? Il n'aurait su le dire.

Le tournant se produisit quand St Stephen's fut fermé pour faire place au Chelsea and Westminster Hospital. Pendant que Ben et ses patients étaient temporairement relogés ailleurs, Chloë le sidéra en négociant un temps partiel à sa banque afin de travailler comme bénévole deux jours par semaine à Wandsworth, dans un établissement spécialisé pour handicapés mentaux. La banque était assommante, disait-elle. Les contacts avec les enfants du service de Ben lui avaient plu et elle avait envie de quelque chose de plus stimulant. Ils pouvaient se le permettre financièrement – la mère de

Chloë leur avait acheté l'appartement en cadeau de mariage – et son nouveau travail, susceptible de lui offrir des débouchés si elle décidait de suivre une formation et de s'y consacrer, la rendait plus heureuse et plus facile à vivre.

Ce que ni l'un ni l'autre n'avait prévu, c'est qu'il suscita chez elle un désir ardent d'être mère. Dès le premier jour de leur relation, elle avait religieusement pris la pilule, affirmé catégoriquement que la maternité la répugnait. Ben en avait été un peu attristé au début, mais uniquement parce qu'il s'était senti rejeté, puis il s'était non seulement fait à l'idée depuis belle lurette, mais également senti secrètement soulagé. Peut-être qu'il ne s'agissait pas d'une volte-face complète comme il y paraissait ? Peut-être que Chloë avait envie d'un enfant depuis des années, sans se l'avouer ?

Si elle était tombée enceinte accidentellement sans discussion ni planification préalable, leur mariage aurait peut-être continué son petit bonhomme de chemin. Arrêter de prendre la pilule avait été une décision spectaculaire. Ils avaient même fêté l'événement et s'étaient convaincus qu'une grossesse se déclarerait en l'espace de quelques semaines. Hélas, les mois et les règles s'étaient succédé et ce qui aurait dû être matière à se réjouir se transforma en sujet qu'il valait mieux éviter. Elle finit par se soumettre à des examens et découvrit qu'elle ne pouvait pas concevoir ou difficilement. Vu le taux élevé d'échecs chez les couples de plus de quarante ans, les médecins leur déconseillèrent vivement une fécondation in vitro.

Motivée par les journées passées en compagnie de certains bambins particulièrement adorables de son établissement spécialisé, Chloë se mit en tête non seulement de faire une demande d'adoption, mais d'adopter un bébé ayant ce qu'on appelle par euphémisme « des besoins spéciaux ». Elle était tenace et poursuivit cet objectif seule, rassemblant tous les renseignements, jonchant l'appartement d'ordinaire bien rangé de brochures et de formulaires. Et, tout à fait involontairement, elle amena Ben à prendre conscience d'une réalité choquante : il n'avait pas envie d'avoir d'enfant avec elle et encore moins d'en adopter un. La passion s'était refroidie, comme c'est souvent le cas, mais il avait supposé que l'amour, sa variété stable, dénuée de drame, la remplacerait. S'il l'avait aimée, il aurait certainement voulu élever des enfants avec elle. Il aurait au minimum dissimulé son manque d'enthousiasme afin de la rendre heureuse. Mais il se découvrit incapable de feindre. Il trouva une échappatoire, naturellement, il protesta : ils pourraient trouver un autre spécialiste, subir tous les deux d'autres examens, envisager même une fécondation in vitro, dans le privé. Et il lui affirma qu'un enfant handicapé serait si exigeant qu'elle devrait renoncer à toutes ses activités préférées.

« Songe à ma mère, lui dit-il. Pense à Bobby.

— C'est ce que je fais, répliqua-t-elle. Bobby est charmant. »

Il se sentit encore plus coupable : non seulement il n'aimait plus sa belle épouse, mais il avait l'air de rejeter son frère rétrospectivement.

Pendant ce qui parut durer des semaines, ils se disputèrent, tournèrent en rond jusqu'à l'épuisement et Ben avait parfois l'impression que Chloë avait également perçu ce que la situation révélait des sentiments qu'il lui portait et qu'elle le poussait à passer aux aveux. Plus elle rencontrait d'opposition – dans un moment d'égarement, il avait mêlé les parents de Chloë à la discussion, de sorte que l'opposition était considérable –, plus elle s'entêtait, au point que sa foi dans le bien-fondé de son projet et leur capacité à le mener à bien prit une dimension quasi religieuse.

Il fut sauvé par un événement inattendu : sa mère tomba malade. Personne ne s'attendait à ce qu'elle meure. On lui avait découvert un cancer de l'ovaire. Elle subit une ovariectomie puis une hystérectomie et fit une chimiothérapie qui parut efficace. Mais il y eut une récurrence de la maladie, cette fois dans la colonne vertébrale. Encore affaiblie par le traitement précédent, elle refusa toute nouvelle intervention, vit son état se détériorer et mourut très rapidement.

Distraits de leurs soucis personnels, Chloë et Ben se rendirent régulièrement à Winchester pendant toute la durée de sa maladie et après sa mort, Ben choisissant souvent de rester le week-end parce que Bobby était malheureux. Il devint vite clair que son frère n'arrivait pas à se débrouiller sans sa mère, ou était trop déprimé pour essayer. Ils mirent en place une aide à domicile quotidienne, afin de vérifier comment il allait, s'il mangeait et se lavait correctement, mais Bobby détestait les intrusions et laissait une fois sur deux les auxiliaires de vie à la porte. Poussé par Chloë, dont la banque avait fait de très gros dons au projet, Ben emmena Bobby faire un séjour à l'essai dans une communauté du Devon, un genre de village où trisomiques et personnes souffrant d'autres difficultés d'apprentissage étaient censés jouir d'une indépendance idyllique en vaquant à diverses activités : travaux agricoles, poterie, tissage. Bobby s'enfuit pour regagner Winchester au bout de quelques jours : il détestait la campagne, haïssait l'artisanat et ne voyait pas pourquoi *on le collait avec un tas de mongoliens*. Une fois de plus, il manifesta tous les symptômes de la dépression : il ne mangeait plus, ne se levait plus, ne se présentait plus au travail, allait même jusqu'à se saouler régulièrement, et disait des grossièretés.

Comme Bobby refusait vigoureusement d'être arraché à la maison de son enfance et même d'aller vivre chez Chloë et Ben à Londres, il ne restait qu'une solution : que Ben s'installe à Winchester jusqu'à ce que la crise soit passée et qu'on ait trouvé une solution à long terme. Au début, Ben fit la navette : il vivait avec Bobby à Winchester et prenait tous les jours le train, le métro et le bus pour se rendre au Chelsea and Westminster Hospital, mais deux crises survenues pendant la journée, la seconde étant une tentative de suicide à l'aspirine, convainquirent Ben de prendre un travail à Winchester afin de ne jamais être à plus d'un quart d'heure de son frère.

Chloë fit mine de comprendre, mais son consentement avait un côté inflexible. Elle ne proposa pas de l'accompagner à Winchester et quand, un peu tard, Ben le lui suggéra – ils pourraient louer leur appartement de Londres pour couvrir les frais de déplacement –, elle se contenta d'un triste « On verra. »

Ils s'étaient vus à plusieurs reprises, mais l'expérience avait été absolument horrible : ils avaient soudain eu l'impression d'être simplement *en visite*, et non de reprendre leur vie de couple. La maison de la mère de Ben était si exiguë, il y avait si peu d'intimité avec Bobby dans les lieux. La dernière fois que Ben s'était éclipsé à Londres pour le week-end, ils avaient vécu un tel fiasco sexuel (l'expérience n'avait absolument rien à voir avec *faire l'amour*) que Ben en avait pleuré dans la salle de bains. Ils s'étaient montrés si délibérément prévenants l'un envers l'autre, si joyeusement évasifs pendant les heures qui leur restaient qu'il n'avait eu qu'une hâte : repartir. C'était comme s'il y avait eu un cadavre dans l'appartement et qu'ils aient évité l'un comme l'autre d'en évoquer l'odeur.

Au nom de l'amour fraternel, Ben avait accepté une grosse réduction de salaire. De spécialiste du sida au Chelsea and Westminster Hospital, il avait rétrogradé au rang de simple praticien contractuel en MST et VIH accablé de travail, avec des consultations surchargées comme il n'en avait pas connu depuis des années. Il avait vaguement espéré pouvoir négocier un échange de postes, temporaire, bien sûr – il s'accrochait, pour Chloë, à l'idée que tout ce chamboulement était provisoire – mais Winchester était une affectation recherchée en raison de ses bonnes écoles et jusqu'à présent il n'y avait pas eu de poste élevé vacant, même momentanément.

Il avait lentement aidé Bobby à retrouver sa stabilité, à décrocher un nouvel emploi, avait élargi ses horizons en lui achetant un ordinateur, en installant la wi-fi dans la maison et en lui apprenant à se servir des deux. Il l'avait involontairement initié aux plaisirs mitigés des sites de rencontre gays sur internet, mais commençait à se demander s'il n'avait pas provoqué un changement plus subtil en offrant simplement une compagnie masculine à un homme trop longtemps couvé par sa mère.

Chloë n'était revenue le voir qu'une seule fois depuis le fiasco. Bobby l'adorait, et l'amusait à petites doses, même si Ben la soupçonnait d'avoir du mal à digérer l'épanouissement sexuel tardif de son beau-frère. Profitant d'une absence de Bobby, elle avait remis la question de l'adoption sur le tapis ; au lieu de discuter, Ben avait haussé les épaules et dit :

« Ce sera ton enfant. Fais ce que tu penses être le mieux. »

Son ton de défaite et de lassitude, d'apathie même, avait fait tressaillir Chloë qui avait recouru, comme lors du fiasco sexuel, à une dérobade amicale. Ils s'étaient rabattus sur Bobby avec gratitude lorsqu'il était rentré les divertir.

Ben venait de s'avouer qu'il était plus heureux loin de Chloë qu'avec elle, mais que Bobby n'était plus une excuse suffisante pour justifier leurs vies séparées, quand il était tombé par hasard sur Laura à l'hôpital.

Pause café de onze heures

TANT QUE LES JOURNÉES RESTAIENT CHAUDES, Laura travaillait dans le pavillon d'été à l'autre bout du jardin. Il avait toujours servi de remise à sa mère qui, contrairement à son père, n'était pas soigneuse. Pelles et fourches se mélangeaient au fatras d'une passionnée de jardinage : fouillis de cordeau fleurant bon le goudron, piquets dont certains avaient encore une coquille d'escargot au sommet pour protéger les yeux du jardinier, germoirs, sacs de compost, sable et vermiculite ainsi qu'une quantité insensée de pots de fleurs en plastique. Comme sa mère n'était visiblement plus en état de faire beaucoup de semis ni de boutures, Laura avait débarrassé et nettoyé la table de cuisine de son enfance placée sous la fenêtre, un des meubles fabriqués par son père, et chassé des vitres plusieurs générations de toiles d'araignée chargées de cadavres. Le résultat donnait un espace de travail agréable par beau temps, éloigné des distractions de la maison, mais suffisamment proche pour qu'elle sache si maman avait des ennuis.

Son père avait beau n'avoir jamais vécu à Winchester – c'était la maison que maman avait achetée après sa mort –, la remise le lui rappelait, non seulement à cause de ses odeurs de créosote, de terre et d'engrais à base d'algues, mais en raison de la façon cavalière dont sa mère traitait les précieux outils de jardin que son père aurait brûlé d'envie de ranger. Il était décédé depuis plus de dix ans, mais Laura continuait à se dire qu'elle ne l'avait pas pleuré comme elle aurait dû. Peut-être parce que maman lui avait demandé si peu au cours des semaines qui avaient suivi sa disparition, n'avait pas exigé d'être consolée. Peut-être aussi parce que Laura vivait alors à Paris, dans un endroit qui n'était pas associé à son père. À présent, son souvenir la hantait, elle n'arrêtait pas de tomber sur des choses qui le lui rappelaient inopinément et mettait la patience de maman à l'épreuve en insistant pour discuter des détails infimes du lointain passé.

Elle n'avait jamais eu l'intention de devenir comptable et hésitait toujours à se qualifier ainsi car elle avait l'impression de faire, tout au plus, de la tenue de livres. Elle avait étudié les mathématiques à Oxford, mais perdu les pédales à ses examens de dernière année, puis s'était quelque peu égarée. À court d'argent à la fin d'une longue période décousue de travail intérimaire, elle s'était retrouvée à un poste qui incluait de la tenue de comptes et avait découvert qu'elle y prenait un certain plaisir détaché. La société qui l'employait lui fit passer des examens de comptabilité qu'elle réussit haut la main, mais la vie en entreprise lui déplaisait. Ses pairs, qui avaient fini journalistes, graphistes, décorateurs ou romanciers – des métiers plus artistiques mais précaires car free-lance –, commencèrent à la rétribuer pour qu'elle tienne leur comptabilité et remplisse leurs feuilles d'impôts. Ils ne tardèrent pas à la recommander à suffisamment d'amis et de collègues pour qu'elle puisse quitter son assommante société et s'établir à son compte, au prix d'une petite baisse de revenus. À Londres, puis à Paris, elle entreprit de gagner sa vie d'une façon qu'elle n'aurait jamais imaginée possible. Le courrier électronique et les déclarations d'impôts sur internet qui permettaient de travailler n'importe où achevèrent de la libérer.

Elle s'était spécialisée dans les cas sans espoir – ceux qui laissent leurs relevés bancaires non décachetés derrière la huche à pain et sont incapables de calculer un simple pourcentage même avec une machine, quand ils en ont une, ceux qui n'ont pas encore remarqué que leur portable et leur mobile possèdent une fonction calculatrice. Elle prenait en charge leur vie désordonnée et leur travail intéressant et les aidait, dans un simple domaine au moins, à devenir soigneux et prévisibles. Ce n'était pas une carrière. Ce travail ne la mènerait nulle part et elle ne s'y investissait pas affectivement, mais il lui permettait de régler ses factures et lui procurait la calme satisfaction du teinturier ou du boulanger conscient que ses talents seront toujours recherchés.

La cliente de ce matin était un cas typique, une scénariste et poète jouissant d'un certain succès – pas une amie – qui, une fois par an, envoyait à Laura une énorme enveloppe matelassée renfermant douze mois de relevés de comptes et de cartes bancaires, de factures, de déclarations de droits d'auteur et de reçus pour absolument tout. Ayant trié le contenu par mois, Laura s'attaqua aux reçus : elle les lissa, prit une loupe et un crayon pour annoter ceux qu'elle n'arrivait pas à déchiffrer tout de suite et écarta tous ceux qui, à l'évidence, ne pourraient jamais être déduits des revenus imposables de sa cliente.

Laura avait un système : douze corbeilles à courrier de couleurs différentes, une pour chaque mois, et un petit carnet dans lequel elle notait méticuleusement le nom du client et l'heure à laquelle elle commençait et finissait de travailler pour lui. Elle avait même un chronomètre pour les coups de fil professionnels. La plupart de ses clients travaillaient à domicile et avaient besoin d'être rassurés sur leurs impôts : ils voulaient savoir quel pourcentage de leurs factures ils avaient le droit de déduire et quelle proportion de leurs frais de voiture et d'essence pouvait entrer dans leurs frais généraux. Certains, comme l'accordeur de piano, le professeur de violoncelle et les graphistes, se déplaçaient beaucoup dans le cadre de leur travail ; d'autres, comme la scénariste-poète, ne se servaient quasiment jamais de leur véhicule pour raison professionnelle et faisaient de gros efforts pour poster des lettres ou acheter des articles de bureau chaque fois qu'ils prenaient leur voiture afin que le déplacement puisse, au moins en partie, être déductible de leurs revenus.

La scénariste-poète devait vivre dans une immense maison ou avoir remeublé et repeint son bureau plusieurs fois en l'espace de quelques années. Elle aurait probablement été horrifiée d'apprendre que Laura avait une mémoire d'éléphant et qu'elle notait ses dépenses avec un soin minutieux. En fait, Laura s'en fichait complètement tant que les chiffres avaient un sens et figuraient au bon endroit. Les sommes concernées étaient relativement minimes et avaient peu de chances d'attirer l'attention d'un inspecteur des impôts. Elle se sentait néanmoins tenue de forcer ses clients à rester vigilants en leur posant au moins deux questions embarrassantes par an, ne serait-ce que pour s'assurer qu'ils avaient une explication à fournir. Cela donnait lieu à des échanges du style : « C'est quoi cette note d'hôtel de l'île Maurice ? » (une recherche pour un thriller comprenant un voyage de noces qui avait apparemment mal tourné) ; « Et cette facture à quatre chiffres de designer italien ? » (c'est si difficile de trouver une lampe de bureau *parfaitement adaptée*).

Elle entendait souvent les gens dire que faire leurs comptes ou remplir leur déclaration d'impôt déclenchait chez eux des crises de paranoïa, mais pour elle il s'agissait simplement de remuer des papiers, de brasser des chiffres et elle avait toujours trouvé ces derniers aussi apaisants que le vent dans les hautes herbes. C'était leur certitude, leur prévisibilité qui était si rassurante, surtout maintenant. Sa mère allait-elle perdre la tête mais vivre éternellement ? Comment se débrouilleraient-elles s'il leur fallait une potence, ou une douche de plain-pied, ou si Laura se découvrait un problème de santé ? Il était quasiment impossible de répondre à ces questions. En revanche, il était facile de calculer cinquante-cinq pour cent de frais annuels de déplacement ou soixante-quinze pour cent de factures de téléphone et d'inscrire soigneusement le résultat dans la case appropriée. Seule la résolution ludique d'équations du second degré l'aurait apaisée davantage.

Le danger, bien sûr, c'était que le travail – surtout le tri de la paperasserie – était si peu exigeant que son esprit était libre de vagabonder à sa guise, en général du côté des souvenirs.

Ben n'avait pas été son premier petit ami ni son premier amant. Mais dès l'instant où ils s'étaient rencontrés, à une soirée bruyante d'étudiants à laquelle

elle s'était invitée avec deux amis, et où il l'avait embrassée sur une pile de manteaux dans une chambre éclairée à la bougie, ses prédécesseurs lui avaient paru insignifiants. Ils ne venaient pas du même milieu. Lui était un étudiant en médecine sportif, élevé dans le privé, un peu plus âgé, tandis qu'elle faisait partie d'un trio remuant d'ex-élèves de l'enseignement public qui s'étaient retrouvés soudainement dans le bastion des privilégiés. Avec Ben cependant, elle avait éprouvé un sentiment de parfaite adéquation au monde.

Le trio s'était formé quand on leur avait attribué des chambres sur le même palier, en première année. Il se composait de Laura, qui avait tout récemment réussi à officialiser son *u*, de Tris, diminutif de Tristram, qui était gay, de Manchester et se prénommait en réalité Steve, et d'Amber, qui était petite, malveillante et s'était toujours appelée Amber.

Amber et Tris s'étaient trouvés quelques jours plus tôt et avaient absolument besoin d'un troisième larron pour faire contrepoids, de sorte que Laura, qui voulait se fondre dans le décor, n'avait pas eu grand choix en la matière. Tris étudiait la chimie et Amber la littérature anglaise, mais ils devinrent tous les trois inséparables. La seule chose qui menaçait leur improbable camaraderie, c'étaient les autres, sous la forme de partenaires sexuels, mais tant qu'on s'empressait de colporter des ragots et de réduire les petits amis potentiels à des *bons coups*, ils ne représentaient pas un danger. À la manière brouillonne et exploratoire des étudiants, il s'agissait de sexe et non d'amour. Les interrogatoires et commentaires incessants du trio étouffaient dans l'œuf toute menace amoureuse.

Sarcastique et incapable du moindre sourire, Amber avait besoin de ruer dans les brancards. Elle était dotée d'une forte libido, disponible et pas compliquée pour deux sous. Elle couchait rarement avec le même garçon deux fois de suite, sauf si elle tenait pour assuré qu'il en redemandait uniquement parce qu'il la croyait facile. Elle méprisait les notions de petit ami et de fidélité, qu'elle jugeait bourgeoises, mais avait généralement la larme facile et pouvait devenir agressive si on soulevait la question du viol. Elle soutira l'histoire du *Docteur Jivago* à Laura (qui le regretta immédiatement car elle eut l'impression de lui avoir fourni des munitions) et fit remarquer qu'elle s'en était bien tirée puisqu'elle aurait pu se prénommer Tonya, comme la femme délaissée du docteur, jouée par Geraldine Chaplin, qui, elle, n'avait même pas de chanson.

Tris était beaucoup plus épanoui et se prenait pour un romantique. Il en pinçait uniquement pour les garçons qui ne lui prêtaient aucune attention ou étaient trop hétéros pour remarquer de quel œil il les regardait. Si quelqu'un avait l'audace de coucher avec lui, il le méprisait avec une telle véhémence que Laura le soupçonnait d'être plutôt nul au lit et de se contenter de rester sur le flanc comme un phoque malade jusqu'à ce que ce soit fini.

Quand, accompagnée de Ben, elle avait croisé Tris et Amber dans l'escalier de la maison délabrée de Southmoor Road, elle avait surpris leur regard rempli d'une indignation presque comique et leur avait souri. Personne ne l'avait encore prise par la main. Elle souriait toujours lorsqu'ils frappèrent à sa porte, le lendemain après-midi, ayant attendu son retour pour exiger du thé et un rapport circonstancié. Tris était dépité parce qu'il avait toujours voulu Ben pour son compte personnel : il prétendait tenir de source sûre que Ben était bisexuel, mais se calma en apprenant qu'il avait un frère homo plus jeune. Amber sentit intuitivement que Laura n'était pas disposée à fournir plus de détails.

« Oh, merde, dit-elle. Tonya le croit spécial. Tris ? Sors les biscuits, chéri. Tout de suite. Est-ce qu'il était tout coincé et refoulé ? Il a juré en jouissant ? Les types de ce genre ont cette tendance, comme si tu leur avais fait baisser la garde par la ruse. Putain, il t'a pas lu du Rupert Brooke, au moins ? Arrête de *sourire*, Lazza, ou je casse un objet auquel tu tiens. »

Mais Laura se contenta de dire que c'était merveilleux. Qu'*il* était merveilleux.

Il était plutôt bruyant au lit, en fait. Il n'arrêtait pas de haleter et de pousser des cris.

« Chut, avait-elle dit au début. Du calme ! » Elle ne savait plus où se mettre tant elle était gênée à l'idée que tous les étudiants de son étage l'entendent. Il en faisait un peu trop, mais elle comprit ensuite que c'était plus fort que lui : il était en proie à un plaisir qui devait s'exprimer. Il cria dans ses cheveux, dans son oreiller, et elle en fut touchée, se sentit soudain terriblement adulte, à la fois excitée et protectrice.

Ses amis s'évertuèrent à la dégoûter de lui. Tris prétendit qu'il le trouvait collet monté et rasoir. Amber attira son attention sur des petits détails physiques : il transpirait de nervosité quand Tris et elle le bombardaient de questions, il portait des pompes en cuir à petits trous ringardes, alors que la plupart d'entre eux avaient des bottines à bouts pointus ou des Converse. Comme on était bien avant l'ère des téléphones portables, tous avaient des feuilles de papier punaisées à la porte de leur chambre pour que les visiteurs qui se cassaient le nez puissent laisser un message. Laura se mit à se cacher – c'était facile puisque ses camarades étaient incapables de grimper son long escalier sans jacasser – et les messages laissés sur sa feuille devinrent de plus en plus laconiques et de moins en moins amusants.

Laura avait la quasi-certitude que les copains de Ben n'étaient guère plus bienveillants que les siens, même s'il était trop loyal envers eux pour l'avouer. Elle n'avait strictement rien à voir avec les ex-élèves de l'enseignement privé que sa bande affectionnait – des filles aux longs cheveux bien peignés, qui portaient des robes sans la moindre ironie, des filles-déesses curieusement inanimées comme Chloë Burstow qui étaient immanquablement polies et respiraient cette suprême confiance en soi que confère le fait de savoir comment se comporter en toute circonstance, des filles qui ne voyaient aucun mal à être appelées des filles. Les amis de Ben se conduisaient avec Laura comme leur mère le leur avait appris : les garçons lui offraient leur chaise et lui ouvraient les portes, les filles trouvaient inlassablement chez elle un détail vestimentaire ou autre à louer. Mais si elle les rencontrait sans Ben, si le hasard voulait qu'elle se trouve assise parmi eux au dîner ou au petit déjeuner par exemple, ils étaient grossiers à la manière indéfinissable des gens bien élevés.

Rien de tout cela n'avait d'importance. Quand Ben et elle se retrouvaient seuls, ils se sentaient si bien que cela méritait à peine discussion. Ils s'habituèrent en un rien de temps à fonctionner comme des étudiants, le cerveau embrumé par le sexe et le manque de sommeil. Pendant les vacances de Noël puis de Pâques, ils louèrent une chambre dans la maison d'une connaissance – celle de Southmoor Road où ils s'étaient rencontrés. Là, ils partagèrent le quotidien comme un couple. Ils faisaient les courses et cuisinaient ensemble, s'asseyaient côte à côte sur le canapé pour regarder la télé, se mettaient au lit de bonne heure et y lisaient : activités gentiment banales du monde non étudiant. C'étaient les souvenirs les plus clairs qu'elle gardait de leur vie commune – pas les moments où ils faisaient l'amour même s'ils s'y adonnaient avec la fréquence et l'impétuosité de la jeunesse, mais ceux où ils jouaient au couple.

« Bon sang ! Ouille ! » La voix de sa mère.

Laura leva les yeux et découvrit maman chancelante près de la porte de la maison avec une tasse de café dans chaque main au lieu de son déambulateur. Elle avait renversé le contenu d'un mug et s'était brûlé la main.

« Bon sang », fit Laura en écho, notant l'heure dans le carnet réservé à ses clients avant de sortir de la remise. « Désolée, cria-t-elle. J'ai perdu la notion du temps. Tiens, laisse-moi te prendre ça, et on va s'occuper de ta main. Quelle robe ravissante.

— Oui, je l'aime bien. »

La brûlure n'était pas grave car il ne s'agissait que du café réchauffé du petit déjeuner et maman n'avait jamais appris à se servir correctement du micro-ondes. Attablées dans la cuisine, elles burent ce qu'il en restait en grignotant des biscuits de luxe pour vieilles dames que maman n'aurait jamais achetés du vivant du père de Laura, puis partirent pour l'hôpital.

Maman possédait une vieille Austin Allegro décolorée par le soleil, jadis rouge cerise, aujourd'hui rosâtre, éclaboussée de fientes d'oiseau, que Laura conduisait maintenant que sa mère ne pouvait plus le faire. Maman avait rehaussé le siège passager d'un vieux coussin rond en cuir posé sur un sac plastique, ce qui l'aidait à faire pivoter ses jambes raides pour monter et descendre. À présent que parcourir la moindre distance à pied était au-dessus de ses forces, les plus banales sorties en voiture prenaient la dimension de virées excitantes. Laura se forçait à rouler lentement pour que sa mère puisse voir les choses et les commenter.

La consultation de la chute était en réalité un projet de recherche à peine déguisé. Les patients, qui avaient tous fait des chutes graves au cours des trois dernières années, acceptaient de se soumettre à divers tests de réflexes, de cognition, de mémoire à court terme et se voyaient offrir en échange un petit repas, enseigner des techniques pour ramasser les objets qu'ils avaient laissé tomber, des exercices destinés à améliorer leur aptitude à se redresser après une chute et parfois, à la grande indignation de maman, à aiguiser leur concentration mentale.

Elle n'aimait pas s'y rendre, parce que les infirmières l'appelaient par son prénom sans lui demander la permission et que les autres patients avaient souvent l'esprit trop nébuleux pour la stimuler. Mais elle respectait la recherche scientifique et prenait plaisir à jouer au ping-pong – jeu auquel elle avait appris à exceller à Summerglades.

Laura chérissait les trois précieuses heures de solitude que la consultation lui offrait, mais craignait de ne pas en faire le meilleur usage. Certains patients arrivaient en ambulance ou en VSL, mais une poignée étaient toujours amenés par des proches et elle ne pouvait s'empêcher d'établir des comparaisons. Maman avait-elle déjà l'air aussi épuisé que celui-ci ou aussi pincé et dénué d'humour que celle-là ? Certains se montraient protecteurs à l'excès et d'autres quasiment désinvoltes. À l'exception d'une sœur cadette, qui visiblement ne tarderait pas à avoir elle aussi besoin de culottes renforcées de protège-hanches, il s'agissait d'enfants ou de beaux-enfants dévoués. C'était réconfortant de les imaginer profitant des trois heures suivantes pour renouer avec des activités auxquelles ils avaient renoncé – faire de la moto, suivre des cours de dessin d'après modèle, avoir des liaisons au grand jour avec d'autres personnes valides – mais elle soupçonnait que la plupart passeraient ce laps de temps dans un état de vacuité tétanisée, à lire le journal peut-être, ou simplement allongés sur leur canapé à contempler le plafond en se demandant ce qu'étaient devenues leur vie et leur énergie. Les plus tristes emploieraient cet entracte à *combler le retard* pris dans le ménage ou les courses et éviteraient ainsi toute introspection dangereuse.

Elle s'aperçut qu'elle ignorait toujours dans quelle partie de l'hôpital se trouvait la consultation MST de Ben et, trop occupée à examiner les panneaux, elle fit une embardée qui lui valut un coup d'œil furieux d'une femme en train de se débattre pour introduire un déambulateur dans sa voiture à hayon sans rayer la peinture neuve.

Laura choisit de manger un sandwich et un fruit à son bureau, comme si elle travaillait dans un cabinet débordant d'activité et non dans la remise de sa mère.

Quand viendrait l'heure d'aller la rechercher à l'hôpital, elle aurait trié les papiers de la scénariste-poète, rentré les chiffres dans son ordinateur et concocté plusieurs autres questions embarrassantes à lui poser.

Pause déjeuner

PÉRIODIQUEMENT – il avait l'impression que c'était une fois par mois, mais c'était sans doute moins souvent –, l'ensemble du personnel des services MST et VIH était censé assister à un déjeuner promotionnel dans une salle de séminaire située dans le bâtiment principal de l'hôpital. Il avait enduré la même corvée dans son précédent poste au Chelsea and Westminster Hospital et le scénario était immuable. Un laboratoire pharmaceutique fournissait un assortiment de sandwichs, de fruits et de barres chocolatées et profitait de l'occasion pour promouvoir les vertus de produits nouveaux ou très vaguement améliorés, répondre aux questions et distribuer des échantillons et de petits cadeaux rarement plus alléchants que des stylos, des blocs-notes et, très occasionnellement, un tee-shirt. Comme les deux services subissaient une pression constante de la part de la direction de l'hôpital – ils devaient respecter leur budget et rechercher le meilleur rapport qualité-prix en tout –, ces sinistres petites séances étaient un mal nécessaire. Le truc, avait appris Ben, consistait à se servir une énorme assiette, à s'asseoir au fond, à poser une question pour s'assurer que sa présence était remarquée, puis à sombrer dans un état de torpeur comme il n'en avait plus connu depuis les cours d'instruction religieuse à l'école.

Aujourd'hui, il n'arrivait ni à se détendre comme il l'aurait souhaité, ni à se concentrer sur la présentation du visiteur médical. Il mangea ses sandwichs et avala son jus de pomme tiède, mais s'aperçut qu'il ne pouvait oublier qu'on était vendredi. Laura passerait déposer sa mère à la consultation de gériatrie.

Chloë disait toujours qu'il avait une mémoire épouvantable et il se gardait bien de contredire cette image de savant distrait qui oubliait jusqu'à son anniversaire parce qu'elle lui convenait, et qu'il était plus facile d'acquiescer que de modifier l'opinion qu'elle avait de lui. Dans son for intérieur, il avait toujours pensé que son esprit était une passoire qui filtrait les choses importantes : numéros de téléphone, codes secrets, noms latins des virus et pseudo-grecs des médicaments. Il faisait aussi abstraction des conversations mondaines alors même qu'elles se déroulaient autour de lui et, en dépit de tous ses efforts, refusait mordicus de retenir les noms et même les visages des gens qu'il ne respectait pas ou espérait simplement ne jamais revoir. Mais il avait toujours cru sa mémoire des faits supérieure à la moyenne et se plaisait à penser qu'il serait un témoin oculaire digne de foi dans un procès.

Au cours des semaines qui suivirent leurs retrouvailles, Laura mit à mal cette image. Calmement et impitoyablement, elle l'amena à voir que ce qu'il prenait pour la vérité historique de leur passé commun n'était qu'une version, un récit qu'il avait inconsciemment élaboré afin de causer un minimum de peine à autrui et de se disculper au maximum.

Il ne l'avait pas reconnue tout de suite – vingt ans s'étaient écoulés et ils étaient dans un couloir d'hôpital, pas dans une réunion d'anciens étudiants à l'université, il ne cherchait donc pas à retrouver des têtes connues. Il sortait d'un ascenseur bondé et elle se trouvait à quelques mètres. Elle avait quelque chose – un gravier peut-être – dans sa chaussure et se tenait en équilibre sur une jambe tout en levant son pied derrière elle pour s'en débarrasser. D'ordinaire, il ne remarquait pas la tenue vestimentaire des gens – il ne ferait peut-être pas un témoin si infaillible que ça, en fin de compte –, mais il se souvenait que sa robe sans manches était simple et assez courte. De la même couleur que ses souliers en daim préférés – Chloë les avait mis au rebut sans lui demander son avis et ne lui avait pas permis de les remplacer –, une nuance qui hésitait entre le pain doré et le caramel. La robe était bien coupée ou Laura très bien faite : sur un cintre, le vêtement aurait certainement eu l'air d'un sac. Un hâle léger recouvrait ses bras et ses jambes, et ses cheveux courts lui tombaient sur le visage tandis qu'elle se cambrait, anonyme, élégante, et l'élégance dans un hôpital très fréquenté est aussi inattendue qu'un pas de danse.

Puis elle se redressa, consulta sa montre et regarda autour d'elle sans le voir : elle avait le visage rouge, l'air fâché et il fut certain que c'était elle, en dépit de ses cheveux plus courts et discrètement teints. Elle s'écarta un peu, puis s'arrêta et répéta son geste, parce que ce qui la gênait n'était toujours pas parti, et il regarda de nouveau son talon, vit jouer les muscles de son mollet et se rappela soudain comme si c'était hier la façon qu'elle avait de presser sa plante de pied contre celle, beaucoup plus grande, du sien, de rire et de s'exclamer « Ton pied déborde tout autour ! » lorsqu'ils étaient assis face à face sur le canapé.

Il la héla timidement, se disant que si ce n'était pas elle il pourrait toujours poursuivre son chemin et faire comme s'il appelait quelqu'un d'autre. Elle se retourna. C'était bien elle, mais une fois de plus elle le regarda sans le voir et il songea *vingt ans*, se rappela qu'il était en costume, qu'il commençait à avoir les bajoues de son père et grisonnait. Il fut tenté de replonger dans la foule et de s'éloigner rapidement dans la direction opposée.

Quand elle le reconnut enfin, ce fut un tel soulagement qu'il l'invita à dîner avant d'avoir eu le temps de rassembler ses esprits et d'être nerveux. Elle jeta un coup d'œil à son alliance, comme lui-même le faisait avec ses patients, mais accepta, dans un ou deux jours, et ils échangèrent leurs numéros.

Se courtiser était exclu du temps de leurs études : ils étaient trop pauvres. Comme tous leurs pairs, ils faisaient les choses à rebours de leurs parents. Ils couchaient ensemble, s'apercevaient qu'ils s'entendaient vraiment bien et tombaient amoureux. D'après ses souvenirs, dans leur cas, la partie amour avait été naïve et simple : elle avait surtout consisté à se dire des tas de *je t'aime*, généralement au lit, et n'avait quasiment pas entraîné de modifications dans leur quotidien d'étudiants. Elle continua à voir ses amis et lui les siens, et les deux groupes n'avaient aucun point commun. Il se rappelait que leur relation existait à l'intérieur d'une sorte de bulle. Il n'avait pas le souvenir d'un grand traumatisme quand elle avait pris fin, seulement d'une sorte de cadence pleine de regrets, assourdie à mesure que les exigences et les réalités inexorables de la médecine prenaient le dessus. Comparée à la cour qu'il avait faite à Chloë, qu'il n'entreprit qu'après ses examens de dernière année, il s'agissait d'une liaison fragile, onirique, qui existait en grande partie la nuit.

Chloë était tout à fait en faveur d'un solide pragmatisme et, à bien des égards, c'était elle qui l'avait courtisé. Elle avait demandé timidement à un ami commun – un camarade d'école qui pour une obscure raison détestait l'une des amies de Laura – de le lui présenter car elle avait un billet en trop pour le bal de son collège. Elle lui fit rencontrer ses parents – un chirurgien tyrannique et récemment anobli ainsi que son ombre d'épouse, polie et opprimée – et il s'était demandé si Chloë avait été programmée pour épouser la médecine. Puis, la toquade physique qu'il avait pour elle, le plaisir et la fierté honteusement machistes que sa présence suscitait chez lui furent renforcés par la conviction profonde de voir soudain sa vie devenir cohérente. Ses amis connaissaient ceux de Chloë et les deux camps approuvaient de tout cœur leur union. Car à leurs yeux, il s'agissait bel et bien d'une union, tandis que le truc avec Laura n'était qu'une amusette bizarre, cochonne, comme si Ben avait eu une petite amie qui n'était même pas étudiante...

Tout cela donnait l'impression qu'ils étaient odieux, mais ce n'était pas le cas. Il s'agissait de gens charmants, de gens bien, non dénués de sentiments. Mais beaucoup plus que lui, le boursier égaré en leur sein, ils étaient le produit d'une éducation soignée, rigoureusement formés pour se plier aux normes, ou ne se rebeller que dans un cadre très circonscrit, et ils éprouvaient un profond sentiment d'insécurité lorsqu'ils ne se retrouvaient pas entre gens de leur monde.

Il n'avait pas réfléchi à tout cela depuis vingt ans, jusqu'à ce qu'il emmène Laura au restaurant où, comme à son habitude, elle avait insisté d'avance pour payer sa part, chose qui n'était jamais venue à l'esprit de Chloë alors qu'elle bénéficiait d'un fonds en fidéicommis très conséquent.

Ils avaient échangé leurs numéros de téléphone et vaguement convenu de se revoir une fois qu'elle aurait eu le temps de réinstaller sa mère chez elle et de se réadapter, mais il aurait pu éviter de l'appeler ou ignorer délibérément son coup de fil si elle lui avait téléphoné. Ils s'étaient rencontrés par hasard au moment où son mariage le déprimait particulièrement, et où il commençait tout juste à s'avouer qu'il avait commis une erreur, cela semblait donc providentiel. Il avait gardé peu d'amis proches – ils étaient tous mariés, avec des enfants, apparemment heureux en ménage – et exprimer des doutes au sujet de son mariage dans un groupe aussi soudé reviendrait à laisser échapper un mauvais génie. Laura était à part du reste de sa vie et l'avait toujours été. Les ex, même celles qu'on n'a pas revues depuis vingt ans, vous connaissent et vous comprennent comme jamais des amis ne pourraient le faire. Ce n'était qu'un dîner, se disait-il, un innocent dîner, parce qu'ils avaient un tas de choses à se raconter. S'il lui parlait de son mariage avec Chloë, ça n'irait pas plus loin et n'importe qui, même Chloë, comprendrait que des amis qui ne se sont pas vus depuis vingt ans aient envie de se raconter leur vie.

Laura était une amie. C'était le sentiment qui avait prévalu dans les minutes de confusion qui suivirent leur rencontre à l'hôpital – elle n'était pas une ex-petite amie, mais une bonne copine perdue de vue depuis longtemps. Il n'empêche que lorsque Chloë téléphona l'après-midi précédant le dîner et laissa un message – une question banale au sujet des charges de leur immeuble –, il lui envoya un SMS plutôt que de prendre le risque de l'appeler, de crainte de lâcher étourdiment avec qui il s'apprêtait à passer la soirée.

Par bonheur, le restaurant n'était pas trop désert. Il se trouvait près du tribunal de grande instance, au rez-de-chaussée surélevé d'un bel édifice situé dans une rangée de maisons géorgiennes occupées essentiellement par des cabinets d'avocats et des agences immobilières. L'atmosphère était celle d'un club masculin sans chichis – bois sombre, linge de table blanc, bougies, jeunes et jolies serveuses dont la façon de s'exprimer donnait l'impression que leurs pères pourraient dîner dans les lieux. Il commanda du foie de veau, elle un steak saignant sans frites, et comme ni l'un ni l'autre ne conduisaient, ils partagèrent une bouteille de bordeaux. Puis la serveuse les laissa à leur conversation et ils comblèrent un trou de vingt ans.

Au début, ils furent d'une politesse nerveuse – Laura expliqua qu'elle avait quitté Paris où elle s'était installée pour revenir s'occuper de sa mère, et lui Londres pour s'occuper de son frère – puis elle eut l'air de le défier :

« Alors comme ça, tu as épousé Chloë Burstow, dit-elle.

— Oui, fit-il avant de s'entendre s'excuser.

— Et tu l'es ? Désolé, je veux dire.

— Bien sûr. Je… je… » Il se tut.

Elle lui resservit du vin. « Elle m'a toujours fait peur, tu sais.

— Non ! Qui ça ? Chloë ?

— Oui. Elle était si posée, si adulte. On voulait tous la détester, bien sûr, parce qu'elle était riche et avait été mannequin. Alors on disait du mal d'elle : si elle était si réservée, c'est parce qu'en réalité elle était très conne. Les gens prétendaient qu'elle avait raté l'examen d'entrée à Oxford et à Cambridge, mais qu'après le don de son papa à l'université on avait miraculeusement découvert que ce n'était pas le cas, tout compte fait.

— Sa maman. C'est sa mère qui avait l'argent. Elle s'est mariée en dessous de sa condition, mais comme il a un nom à rallonge pour services rendus à la médecine, les gens ne s'en rendaient pas toujours compte.

— *Ah bon** ?

— Chloë n'est pas stupide, loin de là. C'est juste qu'elle n'est pas... » Il déplaça son verre de vin.

« Intelligente, compléta Laura.

— Exactement, avoua-t-il avant de lever les yeux. Tu te fiches de moi, hein ?

— Je suis on ne peut plus sérieuse.

— C'est bizarre. Je n'arrive pas à avoir les idées claires quand je suis près d'elle. Je n'y parviens que lorsque nous sommes séparés. Ce n'est peut-être pas une flèche, mais elle possède une force de persuasion qui... » Il s'interrompit en voyant Laura froncer les sourcils. « Désolé. C'est la dernière chose dont tu as envie d'entendre parler.

— Ne dis pas n'importe quoi. Ça représente vingt années de ta vie. De quoi d'autre veux-tu qu'on parle ? »

Puis elle sourit avec une sorte de sollicitude vivifiante et il comprit qu'il pouvait tout lui dire. « Notre mariage est probablement mort », avoua-t-il. Il ne l'avait encore jamais dit à personne. « Nous ne sommes pas divorcés

106

ni rien. Mais devoir m'installer temporairement ici à cause de Bobby et me retrouver sans elle m'a permis de voir les choses avec plus de clarté. Ce n'est qu'une question de temps et de courage. Nous ne nous sommes jamais aimés. Pas vraiment. Je crois que nous nous en apercevons tous les deux à présent.

— C'est vrai ?

— Non, admit-il lentement. Je crois qu'elle m'aime sans doute. C'est horrible à dire, mais je pense qu'elle m'aime d'autant plus qu'elle sent que je m'éloigne. Son père est un tel salopard que je n'ai même pas besoin de lever le petit doigt pour bénéficier de la comparaison. Elle a en quelque sorte besoin de moi pour lui faire contrepoids. Elle pense que je suis bon. Le Bon Docteur.

— Et ce n'est pas le cas ?

— Je ne suis qu'un médecin qui ne place pas l'argent au-dessus de tout. Ça ne fait guère de moi un saint. Mais elle… On ne s'est pas parlé franchement depuis une éternité. Elle me fait suivre mon courrier et griffonne parfois des petits mots au dos des enveloppes.

— Elle ne t'appelle pas ? »

Il soupira.

Laura eut un sourire mélancolique. « Oh ! là, là ! Bien sûr que si. Vous avez des enfants ?

— Non, Dieu merci. Mais c'est une des choses qui m'ont fait prendre conscience de la situation. Elle veut désespérément en avoir. Ça n'est apparemment pas possible, et bien qu'elle soit toute disposée à adopter, je me suis aperçu que je ne l'étais pas, parce que je ne voulais pas éduquer d'enfant avec elle. J'ai compris soudain que je ne pouvais pas m'engager dans ce sens.

Puis la mort de maman et la déprime de Bobby m'ont fourni l'échappatoire parfaite. C'est lamentable, non ?

— Non. Un peu masculin, mais pas lamentable. N'empêche, la pauvre.

— Pas vraiment. Bon, d'accord, la pauvre. »

Et, comme d'un commun accord, le nom de Chloë ne fut plus mentionné de la soirée.

Elle n'était plus tout à fait la Laura dont il avait le souvenir, mais leurs moi juvéniles n'avaient pas tout révélé : ils avaient même joué des rôles dans leur empressement à impressionner, puis à maintenir les apparences. Elle était toujours solennelle et drôle, toujours plus désireuse de le faire parler que de se dévoiler, mais quelque chose depuis qu'ils s'étaient séparés – Paris peut-être, d'autres hommes, plus vraisemblablement – lui avait donné... quoi ? Un côté tranchant ? Ça semblait désagréable et ce n'était pas ça. Une force, alors, qu'il ne se rappelait pas. Ça lui allait bien, comme ses vêtements sobres, choisis avec soin, et ses cheveux plus courts, dont elle critiqua la couleur quand il l'admira, en la qualifiant de *châtain banal avec un semblant d'éclat.*

« Pourquoi Paris ? s'enquit-il.

— J'étais horriblement malheureuse. » Elle rompit le petit pain qu'elle avait choisi avec soin quand on les leur avait offerts, mais ne le mangea pas. Elle but une gorgée de vin, puis vit qu'il attendait la suite. « Non, dit-elle. Ça paraît trop dramatique, ce qui n'était pas le cas. Pas de dépression nerveuse ni rien. Mais j'étais paumée, j'ai fait quelques conneries et j'ai eu une relation vraiment stupide et préjudiciable que je n'aurais jamais dû avoir. Ça m'a permis de repartir du bon pied. Ç'a été un genre de relation étudiante sur le tard. »

Elle sourit d'abord pour elle-même et ensuite à Ben. « Puis j'ai pris l'habitude de vivre à Paris. Tu ne m'avais jamais dit que tu avais un frère dont il fallait s'occuper. Tu t'étais contenté de signaler qu'il était un peu efféminé.

— Tu sais comment sont les étudiants. Ils se réinventent. Ils sautent sur l'occasion de se définir eux-mêmes, pour une fois. Tu ne m'avais jamais dit que tes parents étaient naturistes.

— Tu ne peux guère me jeter la pierre. Comme si ça ne suffisait pas qu'ils soient universitaires et m'aient mise dans l'enseignement public. Je n'aurais pas encore fini d'en entendre. J'aurais été une paria.

— Toi ? Jamais. » Mais il se souvint de ses amis toujours prompts à juger et lui donna muettement raison.

« Si, ça ne fait pas l'ombre d'un doute. Mes copains étaient des rebelles, souviens-toi.

— Cette horrible traînée, Ruby.

— Amber. » Elle eut un petit rire. « Qu'est-ce qu'elle est devenue ? Elle sévit sans doute dans la City. Une vraie briseuse de couilles en tailleur Prada.

— Et le petit maigrichon.

— Tristram ? Pauvre Tris. C'était l'époque où tout le monde, même les garçons hétéros, essayait d'être Sebastian Flyte[1] et lui, il ressemblait au maître de cérémonies de *Cabaret*. Complètement malsain.

— Il me perturbait parce que je l'entendais jacasser en montant l'escalier, mais dès que j'entrais il se taisait

---

1. Héros homosexuel excentrique – il ne se déplace jamais sans son ours en peluche – de *Retour à Brideshead*, d'Evelyn Waugh.

et ne me quittait plus des yeux. Je n'ai jamais pu lui arracher un mot. Et elle, elle me rendait très nerveux.

— Tris avait très envie de toi.

— Tu plaisantes ? Il me croyait juste vieux jeu avant l'âge et pas cool.

— D'accord. Mais ça ne l'empêchait pas de rêver que vous le violiez, toi et tes joyeux potes de Winchester College. Tu connais les fantasmes habituels des tapettes de l'enseignement public concernant les pensionnats...

— Un tissu de mensonges.

— Ouais, bon.

— Qu'est-ce qu'il est devenu ? Tu as dit *pauvre Tris*.

— Oh. Ce à quoi il fallait s'attendre. »

Leur serveuse s'approcha avec leurs plats et la gravité de Laura s'envola : elle lui sourit et la remercia.

« Il a été un des premiers à partir, reprit-elle dès qu'ils furent de nouveau seuls. Il est mort, quoi, deux ans après que nous... Je crois qu'il en faisait beaucoup plus que ce qu'il racontait à Amber.

— Il est probablement mort dans mon service. Bon sang.

— Ah bon ?

— À l'époque, il n'y avait pas tellement le choix. »

Lorsqu'elle coupa son steak, elle en sauça sans façon le sang avec un morceau de pain. Il avait dû paraître interloqué car elle surprit son regard et dit : « Désolée. Que dire ? Paris. »

Plus tard, quand on leur apporta le café, ils se détendirent un peu, se regardèrent pendant que la serveuse débarrassait la table. Elle sourit intérieurement une fois qu'ils furent seuls.

« La suite est beaucoup plus facile en français, dit-elle.

— Qu'est-ce qui se passerait en français ?

110

— Oh, quelque chose d'éloquent et de bref : un haussement d'épaules ou un *et alors* ?* »

Il mélangea du sucre qu'il ne prenait jamais en temps normal, parce que le regard direct qu'elle lui lança soudain le rendit nerveux. « *Et alors* ?* dit-il avec son meilleur accent scolaire, et il sentit l'orteil de Laura lui caresser le mollet.

— J'ai cru que tu n'oserais jamais », fit-elle.

Le problème, c'était où aller. La mère de Laura avait le sommeil léger, et il ne voulait pas déranger Bobby à qui il venait de trouver un travail et avec qui il avait mis au point une routine quotidienne. Laura signala que le restaurant faisait partie d'un hôtel très fréquenté par des avocats en déplacement et que le personnel ne s'offusquerait pas d'une réservation de dernière minute.

Il était fatigué par des années de mariage, mais eut le sentiment que leurs retrouvailles au lit furent un désastre. Il se révéla beaucoup trop impatient et ils étaient tous les deux très conscients de l'effet de ces vingt ans sur leur corps. Il n'était plus un sportif.

« Ça ne t'embête pas ? » demanda-t-elle en éteignant la lampe de chevet et, franchement soulagé, il répondit « Pas du tout » mais trébucha sur les souliers de Laura. Puis ils se cognèrent assez douloureusement le nez et un des nombreux oreillers fit valser le verre d'eau de Laura, qui mouilla intempestivement le lit.

Une fois leur passion maladroitement assouvie, ils restèrent simplement allongés et il se sentit envahi d'un calme étonnant, une certitude, un sentiment d'adéquation au monde, comme si tout son être avait soupiré *putain, enfin*. Il la serra contre lui, huma le parfum de ses cheveux et songea *châtain banal avec un semblant d'éclat*.

« Qu'est-ce qu'il y a ? murmura-t-elle.

— Je n'ai rien dit.

— Tu as ri de quelque chose.

— J'ai l'impression d'être moi-même. C'est tout. Oh, mon Dieu.

— Ah, ça. » fit-elle. Elle ralluma la lampe, découvrit qu'elle était équipée d'un variateur de lumière et ils restèrent enlacés pendant ce qui leur sembla une éternité, mais ne dura en réalité que quarante minutes, à parler tranquillement, à ravauder les années déchirées jusqu'à ce que Laura, qui surveillait l'heure de près, soupire, s'arrache à son étreinte et se mette sous la douche.

C'est ainsi que les choses avaient commencé.

Dans les semaines qui suivirent, ils retournèrent plusieurs fois à l'hôtel qui, contrairement à leurs logements respectifs, leur donnait une impression de luxe et de bulle hors du temps. Mais cela revenait cher et les soirées pouvaient être difficiles parce que la mère de Laura et Bobby étaient à la maison et qu'il fallait les nourrir. L'urgence les aida à surmonter leur peur du grand jour et ils se mirent à voler quelques instants pendant l'heure du déjeuner de Ben, quand Bobby était au travail. Ils se précipitaient d'habitude chez lui, où ils tiraient d'inefficaces rideaux et bravaient les murs minces comme du papier à cigarettes, mais chaque vendredi, la mère de Laura était absente trois heures pour sa consultation et Laura ramenait Ben passer trois précieux quarts d'heure dans le petit éden féminin qu'elle partageait avec la vieille dame.

L'aperçu qu'il avait de cette dernière lorsque Laura s'empressait de l'emmener dans sa chambre l'intriguait, surtout les revues médicales entassées près de son

112

fauteuil, et il aurait aimé faire sa connaissance, ne serait-ce que parce qu'elle était virologiste et qu'il n'avait jamais totalement perdu sa fascination d'adolescent pour le sujet. Mais peu de temps après ses retrouvailles avec Laura, il se rappela sa manie invétérée du secret et sa façon de cloisonner ses relations. Étudiante, elle rejetait toutes les questions sur ses parents avec une telle vigueur – « C'est un sociologue barbu, elle étudie les virus, blablabla. Sans intérêt. » – qu'il s'était demandé si elle n'avait pas du mal à émerger de leur ombre. Sur ce plan, elle n'avait guère changé et, bien qu'il n'ait jamais subi la pression de parents dominateurs, l'exemple de Chloë et de son père lui avait appris à comprendre qu'on veuille être jugé selon ses mérites, accepté en tant qu'individu et non pas considéré simplement comme le fils ou la fille d'Untel.

On a tout notre temps, songeait-il. *On fera connaissance quand elle sera prête.*

Peu à peu, elle laissa échapper – ou il lui soutira – la honteuse vérité concernant leur passé : l'aplomb apparent avec lequel elle avait accepté leur séparation d'étudiants avait été de la frime juvénile. En fait, elle s'était écroulée, à sa façon mesurée, et avait été incapable de se présenter à ses examens de dernière année.

Il est clair qu'elle n'avait pas eu l'intention de lui en parler, mais il s'était bêtement enferré en la cuisinant sur les raisons qui l'avaient amenée à ne pas faire carrière dans les mathématiques, ou du moins pas de la façon dont on pouvait s'y attendre, étant donné ses résultats brillants, et elle avait fini par avouer :

« Parce que je n'ai jamais passé ma putain de licence, d'accord ? J'ai fait semblant. Amber et Tris n'y ont vu que du feu. J'ai pris mon petit déjeuner dans ma stupide toge et ma stupide toque comme tout le monde, j'ai même eu le trac, mais je me suis contentée de me balader, d'aller au café et au cinéma. Je me suis présentée à un des examens, mais c'était si abominable d'être assise sans rien pouvoir écrire que j'en ai eu marre.

— Tu aurais tout de même pu en parler à quelqu'un ? Suivre une thérapie ?

— Ça ne marchait pas comme ça à l'époque. Tu ne te souviens donc de rien ? Même ceux qui prétendaient être malades ou fous devaient passer leurs examens à l'hôpital. »

Elle avait raison. Il se rappelait le vieux mythe effrayant de l'étudiant qui de désespoir s'ébouillantait les mains pour ne pas passer ses examens de philosophie et se voyait obligé de dicter ses dissertations.

« Tu aurais dû m'en parler, protesta-t-il.

— Ne dis pas de bêtises. Tu courais après Chloë, à l'époque, tu nous faisais le coup de *Retour à Brideshead*. J'avais beau craquer, j'avais ma fierté. »

Ils étaient alors dans le lit de Ben, dans le demi-jour qui filtrait à travers les rideaux non doublés. Ils venaient de faire l'amour : la chaleur et l'odeur mêlées de leurs corps et la main de Laura dans ses cheveux adoucirent quelque peu sa soudaine dureté de ton, mais il fut incapable de lui répondre. Son silence, suivi, une minute plus tard, par le brusque départ de Laura pour la salle de bains, ses vêtements sous le bras, lui donna l'impression d'une première dispute.

Et puis, pas plus tard qu'une semaine auparavant, il s'était produit un incident vraiment stupide. Ben avait complètement oublié que c'était son anniversaire. On était un vendredi, jour de la consultation de la chute, et

Laura devait venir le chercher à l'hôpital à l'heure du déjeuner. Mais Chloë s'était présentée à la fin de ses consultations, sans prévenir, avec un gâteau d'anniversaire aussi ridicule que délicieux acheté dans sa pâtisserie préférée de Southwark. Il venait de finir le compte rendu d'examen de son dernier patient de la matinée et elle était assise dans la salle d'attente réservée aux hommes, en train de bavarder avec affabilité avec un des infirmiers le plus ouvertement homo. (Les gays adoraient Chloë : ils étaient désarmés sans effort et réduits en esclavage par son mélange de beauté et d'apparente vulnérabilité.)

Tomber sur elle dans ce cadre, au milieu des corbeilles de préservatifs et des brochures sur l'infection à chlamydia, eût été un choc en n'importe quelle circonstance, mais il fut d'autant plus surpris qu'il avait passé la matinée à écouter ses patients d'une oreille en repensant à ce que Laura lui avait raconté, à se dire qu'il devait tout avouer à Chloë, faire cesser cette ambiguïté nocive et rompre définitivement avec elle. Et voilà qu'elle était là, réponse cruelle et péremptoire à ses désirs, et sa résolution s'envola dès qu'il la vit. Elle était particulièrement chic et soignée, comme pour déjeuner avec des amies, et arborait un air résolu, donnant l'impression que passer le voir sans s'annoncer lui avait demandé du courage. Ils s'embrassèrent, il la remercia pour le gâteau qui, ils le savaient tous les deux, serait dévoré par les infirmières dans l'après-midi, et il la raccompagna à sa voiture garée au sommet de la colline.

« Je sais que tu es occupé. Je sais que tu travailles, dit-elle. Je ne voulais tout simplement pas que tu croies à un oubli. » Elle n'émit pas d'exigences, ne fit pas de scène, ne lança pas d'ultimatum, ne lui remit pas de lettre d'avocat. Elle ne voulait même pas rester déjeuner. Elle avait peut-être quelqu'un d'autre à voir – même si elle en était à peine consciente, elle n'avait pas son pareil pour mener plusieurs tâches de front et jauger la longueur de ses rendez-vous. Reste qu'après leurs derniers adieux très tendus, c'était un geste charmant, une attention, d'après ses critères à elle. Elle aurait pu cependant difficilement plus mal choisir son moment car comme il s'excusait d'être aussi lamentable, aussi peu communicatif et commençait à suggérer qu'il était temps de tirer les choses au clair, il vit Laura les observer, assise au soleil sur un banc, près de l'entrée située à l'arrière du bâtiment principal.

« Je sais, soupira Chloë. Tu as raison. Ne t'excuse pas. J'ai été lamentable aussi. Je suis d'une telle lâcheté. Au revoir, Ben. Joyeux anniversaire. » De sa main qui tenait déjà ses clés de voiture, elle approcha son visage du sien.

Croyant qu'elle allait l'embrasser sur les lèvres, apercevant par-dessus son épaule Laura qui regagnait d'un bon pas la voiture de sa mère, il tressaillit, se déroba et Chloë en fut réduite à presser rapidement ses lèvres sur son front dans une sorte de bénédiction maladroite.

Dès qu'elle eut disparu, il se tourna vers Laura, mais sans un regard, elle démarra sur des chapeaux de roues.

« Attends ! cria-t-il. Laura ! »

Il ne l'aurait jamais rattrapée si elle n'avait pas été retenue par un bouchon à la sortie du parking, et elle dut baisser sa vitre quand il cogna, essoufflé par sa course.

« J'ai déjà donné, dit-elle en levant une main pour l'interrompre. Non, désolée, Ben. J'ai été pendant des années un coup de canif dans le contrat de mariage. Je pourrais écrire un livre sur la question. Mais je n'ai jamais été *ta* maîtresse. Tu as toujours été différent, mieux, malgré tous tes défauts, et je préférerais que ça reste comme ça. Désolée. » Et elle s'éloigna.

Il avait son numéro de portable. Il lui laissa le temps d'arriver chez elle puis l'appela. Mais elle avait dû voir son nom s'afficher à l'écran et ne répondit pas. Chaque fois qu'il essaya de la joindre entre ses consultations de l'après-midi, qui lui parurent interminables, ce fut la même chose. Il tenta de lui envoyer un SMS, mais n'alla pas au-delà de *S'il te plaît, Laura* avant d'effacer son message. Il lui écrivit trois lettres le samedi en se disant qu'il pourrait en porter une lui-même à son domicile à la faveur de l'obscurité, mais n'en posta aucune. La douleur tranquille de Laura l'avait touché au vif, ce que les sarcasmes et les accusations de Chloë n'avaient jamais réussi à faire.

Finalement, le dimanche après-midi, n'en pouvant plus, il décida simplement de passer chez elle, d'affronter l'humiliation ou le rejet, n'importe quoi pour avoir l'occasion de la revoir.

Peut-être parce qu'ils avaient toujours été si pressés de se mettre au lit, il n'avait encore jamais remarqué à quel point la maisonnette était bien gardée. En descendant la colline, on apercevait les encadrements peints en blanc des fenêtres gothiques, mais de plus près on ne voyait rien d'autre qu'un mur en silex et le maquis impénétrable d'une haie couronnée d'un fouillis luxuriant de roses. Un portail se dessinait dans le mur, en réalité une porte, haute et solidement cadenassée. Pensant qu'il s'agissait peut-être d'un objet ancien purement décoratif, il tira précautionneusement une poignée de cuivre et sursauta en s'apercevant qu'il avait mis en branle une cloche toute proche.

« Merde ! » s'exclama une voix de vieille femme qui s'enquit d'un ton impérieux : « Tu attends quelqu'un ? » La réponse fut trop lointaine pour qu'il la distingue. « Moi non plus, reprit la voix. Bon. »

On entendit ce qui ressemblait à une porte de remise s'ouvrir et se refermer, puis, brusquement, un petit vasistas dissimulé derrière une grille s'entrebâilla au milieu du portail et la même voix demanda ce qu'il désirait.

« Je suis venu voir Laura, si elle est là. Ben Patterson, un vieil ami d'Oxford.

— Comme c'est gentil. Elle ne m'a rien dit. Il faut que vous preniez le thé avec nous. »

Elle referma le vantail d'un coup sec et le fit entrer. Elle portait un vêtement qui avait perdu son éclat mais restait élégant – une robe d'intérieur ? Ce n'était tout de même pas une robe de chambre ? Il supposa qu'elle était nue en dessous, mais grâce à ses manières et des années de pratique, on n'en avait pas la moindre idée. Elle était chaussée de sandales Scholl dont les semelles de bois claquaient sur les briques du sentier tandis qu'elle avançait lentement devant lui, appuyée sur son déambulateur. « Mes jambes ne fonctionnent plus, lança-t-elle par-dessus son épaule. C'est assommant au possible. Laura ? Ton ami Ben est venu prendre le thé. C'est gentil, non ? »

« Je ne me souviens pas de vous », poursuivit-elle tandis qu'une Laura pâle lançait depuis la porte d'entrée un « Salut » qui lui fit immédiatement sentir qu'il avait enfreint une règle tacite en s'invitant. « Il faut dire que ça fait longtemps et Laura a toujours aimé avoir ses petits secrets. Enfin, pas vraiment des secrets, mais nous garder tous dans des compartiments séparés. Même à son père et à moi, elle racontait des choses assez différentes. »

Mais Ben se souvenait d'elle. Il crut d'abord s'être trompé. Les femmes très instruites de cet âge et à l'air aussi distingué ne manquaient pas : elles respiraient la confiance en soi et avaient un franc-parler que leurs mères auraient jugé peu féminin. C'est qu'elles avaient dû batailler face à une opposition considérable pour réussir dans un domaine largement masculin. On rencontrait ces femmes dans n'importe quelle salle des professeurs à l'université et dans bien des conseils d'administration d'hôpital. Il aurait donc pu faire erreur.

Laura apporta un plateau chargé d'une théière, de tasses et d'un gâteau et l'accueillit avec une rapide étreinte et le sang-froid d'une espionne, sans rien trahir de ce qui s'était passé récemment entre eux. Elle fit semblant de s'enquérir de ce qu'il devenait, de ce qui l'amenait à Winchester, lui offrit ses condoléances pour la mort de sa mère, lui demanda d'un air soucieux comment son frère se débrouillait. Avant de remporter la théière pour ajouter de l'eau, elle expliqua à sa mère que Ben était spécialiste MST et VIH, à Ben que la virologie avait toujours été le domaine de sa mère.

« Je me disais aussi que je vous connaissais, fit-il. Vous êtes le Pr Jellicoe, n'est-ce pas ?

— C'est bien ça. Mais je suis désolée, je…

— Je n'avais jamais fait le rapprochement – vous ne portez pas le même nom que Laura. Je veux dire par là que je savais qu'elle avait une mère virologiste, mais j'ignorais que c'était vous. Si vous voyez ce que je veux dire. Oh, vous n'avez aucune raison de vous souvenir de moi, s'entendit-il pérorer. Ça ne date pas d'hier. » Voyant revenir Laura, il changea de sujet et questionna le Pr Jellicoe sur les dernières recherches établissant un lien entre le virus *Herpes simplex* et la maladie d'Alzheimer. Mais il était ébranlé et prit congé peu après sa troisième tasse de thé et sa seconde tranche de gâteau.

Que s'était-il imaginé ? Qu'il suffirait à Laura de l'apercevoir à sa porte pour revenir sur sa décision ? Qu'elle volerait quelques instants pour lui parler, pour retirer des paroles prononcées à la hâte et lui fixer un autre rendez-vous ? Au lieu de ça, elle encouragea tacitement sa mère à se joindre à elle pour les adieux, de sorte qu'ils ne furent jamais seuls. La folie et l'égoïsme de sa petite visite pesèrent lourd sur sa conscience, cette nuit-là. Mais pas aussi lourd que les souvenirs peu glorieux qu'elle avait enfin fait surgir de l'ombre.

Bien sûr que la vieille femme ne se souvenait pas de lui. Il ne lui évoquait rien. Il n'était qu'un des innombrables étudiants rencontrés chaque semaine, pas exactement anonymes, mais interchangeables comme les jeunes le deviennent à mesure que l'on vieillit. (Ben avait déjà le même problème avec les étudiants en médecine et les élèves-infirmiers – leurs noms et leurs visages n'étaient pas plus tôt gravés dans son esprit qu'une nouvelle fournée les remplaçait.)

C'était le deuxième semestre, ses examens de dernière année commençaient dans quelques jours et, comme cela se produisait assez rarement, un groupe d'étudiants particulièrement prometteurs étaient invités au déjeuner dominical chez le président de l'université. Ben se rappelait avoir mal accueilli l'invitation parce que son planning de révisions détaillé couvrait tout son temps libre et que les heures consacrées au sherry, au déjeuner, au café et à la conversation polie qui suivrait seraient autant de temps perdu et l'obligeraient à revoir son plan de bataille ou à réviser une question moins à fond que prévu.

Lorsqu'il avait annoncé la nouvelle à Laura d'un air boudeur, elle était plongée dans ses révisions de la théorie des graphes : elle avait haussé les épaules et lui avait conseillé d'ignorer délibérément l'invitation ou de la refuser, car il y avait plus urgent à faire que des ronds de jambe à de vieilles badernes. Mais il savait qu'il n'était pas d'usage de refuser et un camarade d'école, celui qui ne pouvait pas souffrir Amber parce qu'elle lui riait au nez quand il essayait de la draguer – le détail lui revenait maintenant – lui expliqua qu'étant scientifique, le président avait souvent des chercheurs ou des chirurgiens de haute volée parmi ses invités, ceux-là mêmes qui pourraient être amenés à examiner la candidature de Ben dans les mois à venir.

Il avait donc repassé une chemise, enlevé à la brosse à ongles les pires taches de son unique complet et s'était joint à la poignée d'étudiants qui attendaient devant l'appartement du président à midi et demie. Avec beaucoup de finesse, la femme de leur hôte les encouragea tous à circuler et à dialoguer avec les sommités présentes plutôt que de traînasser ensemble dans un coin.

Ben n'y avait pas repensé depuis des années. À présent, il se rappelait distinctement qu'on lui avait collé dans les mains un immense plateau de brochettes de poulet sauce satay, qui étaient encore à l'époque une telle nouveauté que l'épouse du président lui recommanda bien de prévenir les gens qu'elles contenaient des cacahuètes et étaient plutôt épicées.

La réception avait lieu dans une belle pièce du premier étage donnant sur le jardin privatif. Les portraits géorgiens, le parquet bien encaustiqué, les vieux tapis de soie et les canapés moelleux dénotaient une atmosphère adulte et privilégiée aussi grisante que le sherry de midi, auquel il n'était pas habitué. Il ne tarda pas à découvrir qu'il avait complètement oublié ses révisions, ou du moins de s'en inquiéter, et qu'il s'amusait bien. Il engagea la conversation avec un affable historien d'art à nœud papillon du Courtauld Institute, dont l'érudition et la mondanité auraient été intimidantes si Ben avait été sobre. Avec des manières qui frôlaient dangereusement le flirt, ce dernier intima à Ben de ne pas bouger, les brochettes étant nettement préférables aux vol-au-vent légèrement gluants. Il lui commenta les portraits géorgiens et expliqua dans des termes que Ben n'arrivait pas à se rappeler pourquoi Ramsay était infiniment plus intéressant que Gainsborough.

« Mais la peinture n'est pas vraiment votre truc, hein ? s'enquit-il en engloutissant une autre brochette et en adressant à l'épouse du président un signe de la main qui la maintint à distance.

— Pas vraiment, répondit Ben. Je veux dire par là que je regarde et qu'il m'arrive de bien aimer, mais...

— Oui, exactement. *Mais*. Qu'est-ce qui vous intéresse ? »

Ben songea aux révisions sur lesquelles il était en train de faire l'impasse pour se saouler à vitesse grand V dans ce beau salon et se mit à parler de syphilis.

« Dans ce cas, il faut que vous rencontriez la Jellicoe.

— Qui ça ?

— Harriet ! »

Une femme qui venait d'entrer et paraissait heureuse d'être sollicitée l'embrassa brièvement avant d'être présentée à Ben comme le Pr Jellicoe, la Reine du Virus. « Franchement, Howard ! » protesta-t-elle, mais l'historien d'art les avait déjà abandonnés pour se trouver une nouvelle proie. « Désolée, fit-elle. La virologie est aussi votre dada, ou est-ce que vous avez simplement assommé ce pauvre Howard ? » Quand Ben expliqua que la première hypothèse était la bonne et que c'était ce qu'il aurait dû être en train de réviser présentement, elle déclara qu'il était facile d'y remédier puisqu'il pouvait s'asseoir à ses côtés et bénéficier de travaux dirigés. « Vous me rendrez service, dit-elle, car je redoutais ce raout, et les papotages ne sont pas mon fort. Qu'est-ce que vous avez lu récemment ? »

Il mentionna un article vieux d'un an sur le virus de Marburg et elle suggéra deux autres lectures dont l'une consistait en un énorme pavé intitulé *Filoviridae*, qu'il lui était impossible de boucler dans le peu de temps restant avant l'examen, mais dont elle allait lui résumer la thèse de son mieux.

Quand ils passèrent à la salle à manger, elle chassa avec beaucoup d'aplomb l'étudiante de littérature anglaise placée à sa droite, au profit de Ben. « Je ne lui serais d'aucune utilité », dit-elle en guise d'explication. Dès qu'ils furent attablés, elle informa poliment mais sur un ton sans appel l'étudiant assis à sa gauche, qui était physicien de toute façon, et donc sans grand intérêt à ses yeux, que Ben et elle avaient *un tas de choses à discuter*. Durant l'heure et demie qui suivit, elle cuisina et prépara Ben, suggéra les sujets sur lesquels il devrait se concentrer et les raisonnements qui seraient le mieux accueillis par ceux qui, selon elle, avaient des chances de corriger l'examen. Elle griffonna un résumé des points importants de *Filoviridae* sur une vieille enveloppe « par avion » qu'elle exhuma de son sac.

« Merci infiniment, bégaya Ben lorsqu'on annonça que le café serait servi dans la pièce où ils s'étaient rassemblés au début. Je regrette seulement de ne pas avoir pu prendre de notes pendant que vous parliez.

— C'est une perte de temps. Ce dont vous ne vous souvenez pas sans notes ne vous sera d'aucune utilité pour un examen qui a lieu dans quatre jours. Ça m'a fait plaisir de vous parler. Vous espérez une mention "très bien", naturellement.

— C'est-à-dire...

— C'est ce que le collège attend de vous, bien sûr. La raison de votre présence ici. »

Il songea à Laura qui espérait désespérément décrocher une mention « très bien » pour faire plaisir à ses parents, mais n'avait pas été invitée à un déjeuner comme celui-ci, et se sentit déloyal, puis coupable, avant de constater une disparition inattendue et affreuse des sentiments qu'il lui portait.

« Pensez à mon programme de recherche à l'Imperial College quand vous ferez acte de candidature.

— Je n'y manquerai pas, lança-t-il avec enthousiasme. Merci.

— Vous avez une petite amie ou autre ? » demanda-t-elle sans ménagement. Presque tout le monde avait quitté ou était en train de quitter la table et ils étaient quasiment seuls.

« Euh, oui. Nous sortons ensemble depuis six mois.

— Rien de sérieux ? Vous n'êtes pas fiancé ni rien ?

— Non, avoua-t-il, perplexe.

— Parfait ! s'exclama-t-elle en tapant sur le bord de la table. Vous allez me trouver vieux jeu, mais rien de plus déprimant que les étudiants qui s'embarquent dans une recherche importante et se marient. C'est une telle erreur. Un tel gâchis. Soit ils abandonnent parce qu'ils ont soudain besoin de gagner de l'argent, soit ils perdent tout simplement leur concentration et c'est moi qui finis par les virer. Si elle est vraiment accrochée, ménagez-la, mais laissez-la tomber quand même. Au moins quelques années. Votre travail doit absolument passer en premier. Je ne me suis jamais mariée, mais je me suis *rangée* très jeune – je croyais que ça faisait partie intégrante de la vie adulte, que c'était un rite de passage – et ç'a été une grosse bêtise. » Elle tapa de nouveau sur la table.

« Vous n'êtes plus ensemble ? s'enquit-il.

— Si. Toujours ensemble et toujours heureux mais… » Elle lui saisit l'avant-bras avec une poigne d'acier et le dévisagea de si près qu'il sentit son haleine fleurant le vin et aperçut un cil égaré sur sa joue. « L'amour est une chose étonnante mais – ce que je vais dire va vous paraître arrogant, tant pis – pour les gens exceptionnels, pour les gens comme vous, c'est presque toujours *dégradant*. »

La façon dont elle prononça le mot le glaça jusqu'au sang et lorsque, cédant aux instances de la femme du président – il fallait à tout prix qu'elle vienne admirer une plante rare qui fleurissait pour la première fois dans son jardin –, elle prit brusquement congé de lui, Ben se leva aussi et découvrit qu'il frissonnait. Ce n'était ni de froid ni de peur, mais d'une sorte d'excitation : comme s'il lui fallait accomplir quelque chose d'une grande importance, exigeant du courage et une fermeté farouche, monacale.

Il rompit avec Laura l'après-midi même. Si elle avait pleuré, tempêté, ne serait-ce que discuté, il aurait renoncé. Il avait supposé, à demi espéré qu'elle argumenterait et le convaincrait de changer d'avis. Il entendait comme si c'était hier et avec une clarté effrayante ses explications pompeuses, maladroites : il n'était pas prêt pour une relation sérieuse, il ne pouvait pas se permettre de s'engager parce qu'il devait se concentrer sur la suite de ses études.

Elle se contenta de demander « Il y a quelqu'un d'autre ? », à quoi il répondit franchement, car c'était vrai à l'époque : « Non.

— C'est moi alors ?

— Non. Bien sûr que non. C'est moi. Seulement moi. » Ce qui, songeait-il aujourd'hui avec amertume, était également vrai et continuait à l'être. Tout le gâchis commençait et finissait avec lui, ses tergiversations égoïstes et son besoin d'approbation.

Quittant la chambre de Laura et dévalant le long escalier, il avait eu une seconde bouffée d'adrénaline. Il avait ressenti du chagrin, bien sûr, mais aussi un frisson théâtral devant l'énormité du sacrifice qu'il venait de consentir. Il ne rencontrerait peut-être plus jamais de fille aussi charmante. Il serait peut-être condamné à devenir un de ces chercheurs scientifiques vieux garçons dont les étudiants se moquent, le genre qui portent des chaussettes dépareillées ou une cravate criblée de taches. Mais ce serait pour une noble cause à laquelle il se serait voué corps et âme comme un moine ou, idée plus séduisante encore, comme une sorte de chaste chevalier.

Il alla voir ses copains, ceux qui avaient des chambres donnant sur le jardin, comme lui, et leur annonça la nouvelle tout de suite pour donner à la rupture une réalité et pour s'empêcher de flancher. Une fois de plus, il espérait plus ou moins un sursis, que ces opposants systématiques changeraient soudain de discours, lui diraient qu'il était fou, que Laura était la perle rare et qu'il devait courir immédiatement auprès d'elle et la supplier.

Ils furent très surpris mais aussi soulagés et déballèrent toutes les réserves qu'ils nourrissaient concernant Laura et auxquelles ils s'étaient contentés jusque-là de faire allusion : elle n'était pas faite pour lui. Leurs critiques le peinèrent mais, ne pouvant expliquer pourquoi il s'était séparé d'elle sans avoir l'air d'un monstre d'ambition, il trouva plus facile de les laisser à leurs suppositions que de subir leurs railleries. Ils virent qu'il souffrait et eurent la gentillesse de changer de sujet, mais la facilité avec laquelle le bourreau était traité en victime le sidéra ; toutes les marques de considération qu'on lui témoigna au cours des heures qui suivirent lui furent autant de bleus à l'âme.

Comme il l'avait dit à Laura, c'était lui le seul fautif, pas elle, et quand il s'autorisait une pause pour penser à elle au milieu de ses révisions frénétiques, tout ce qui lui venait à l'esprit, c'était la triste pâleur de son visage pendant qu'elle écoutait ses autojustifications pleines de vent.

Ce fut seulement après ses examens, quand ses amis l'eurent présenté à Chloë et que cette dernière lui eut offert un billet pour le bal de son collège qu'il commença à s'en convaincre : quelque chose clochait bel et bien chez Laura, alors même que les prédictions du Pr Jellicoe s'accomplissaient à la lettre : Chloë se joignit à son père pour faire pression sur lui afin qu'il choisisse la pratique médicale plutôt que la recherche.

Chloë était sage, un peu timide sur le plan sexuel, ou du moins donna adroitement cette impression au cours de leurs premières semaines de vie commune. En comparaison, la désinvolture presque dépourvue d'érotisme avec laquelle Laura se débarrassait de ses vêtements et son empressement non dissimulé à faire l'amour en vinrent à lui paraître bizarres, peu féminins, voire un rien désaxés.

Chloë et Laura ne se connaissaient que de nom et de vue, mais les collèges d'Oxford étaient assez petits et Chloë suffisamment jalouse pour découvrir avec le temps que Laura avait été son ex : elle se mit alors à cuisiner des amies qui l'avaient connue, même vaguement, de sorte que chaque fois que la question des anciennes amours de Ben revenait sur le tapis, elle parlait avec mépris de « ta hippie du nord de Londres avec ses amis cracra » et dépeignait officiellement Laura sous les traits d'une pouffiasse aux pieds sales doublée d'une anarchiste. Portrait à l'opposé de la réalité, mais flatteur pour elle en comparaison, ainsi que pour Ben, comme si Chloë l'avait en quelque sorte dompté mais qu'il ait gardé une certaine sauvagerie.

Il émergea de sa rêverie coupable avec les yeux fixés sur l'horloge de la salle de séminaire, et comprit soudain qu'une seule chose comptait : attendre sur le parking réservé aux handicapés. À bout de patience, il se leva si brusquement qu'il fit tomber le gobelet de jus de fruits. « Désolé, marmonna-t-il tandis que ses confrères et les visiteurs médicaux regardaient autour d'eux. Désolé, il faut juste que euh… » Et il s'éclipsa. Il invoquerait une migraine, des maux d'estomac.

L'ascenseur s'arrêta à un étage, puis au suivant. Il jura et poussa la porte battante menant à l'escalier qu'il dévala, bousculant les lambins et s'excusant auprès de ceux qui le regardaient d'un air surpris.

Les places de parking préférées de Laura se cachaient dans un coin peu engageant, le genre de cour perdue que dans le monde entier on rencontre dans les hôpitaux qu'on agrandit et adapte sans cesse, et que seuls les initiés peuvent espérer trouver. Il piqua un sprint sur l'accès réservé au service qui y conduisait. Puis se figea en haletant de façon ridicule et se réfugia vite dans l'embrasure d'une porte avant qu'elle ne l'aperçoive.

Il avait à peine eu le temps de la voir faire marche arrière lorsqu'il se souvint que c'était l'heure où elle venait chercher sa mère, et non la déposer. Elle n'était pas seule et il ne pouvait évidemment pas lui barrer la route alors que le Pr Jellicoe était à côté d'elle avec son œil de fouine intelligent.

Quand elles furent passées devant lui, il osa sortir de sa cachette pour les regarder s'éloigner. La voiture ne présentait aucun intérêt, c'était une vieille Austin automatique, jadis rouge et à présent rayée et cabossée à la suite de marches arrière distraites.

Prenant conscience de son plastron trempé de transpiration et de son cœur qui battait à se rompre, il sentit avec une terrible acuité dans quelle situation absurde il s'était fourré.

Sieste

À CAUSE DE SES RELENTS DE CANTINE SCOLAIRE – aujourd'hui, tourte au poisson et gâteau de Savoie à l'ananas accompagné de crème anglaise – et de son horaire de fermeture en début d'après-midi, la consultation de la chute avait plus que jamais l'air d'un jardin d'enfants gériatrique. Il aurait suffi que les patients en émergent en brandissant fièrement des peintures sur papier kraft ou des vaisseaux spatiaux en boîtes d'œufs et pots de yaourt au lieu des lettres destinées à leur généraliste pour que l'illusion soit complète. Aujourd'hui, ils avaient même eu droit à l'heure du conte : une causerie joviale donnée par une visiteuse médicale qui leur avait expliqué l'importance de bien s'hydrater, même si on était incontinent.

« Une gourde condescendante, décréta maman. Avec un diplôme bidon.

— Comment tu sais ça ?

— Je lui ai demandé.

— Maman !

— Oh, je n'avais rien à perdre. Je n'y retourne pas.

— Pourquoi donc ?

— Ils en ont terminé avec moi, apparemment. J'ai eu mon *contingent d'heures* et ils ont sans doute recueilli toutes les données qu'ils pouvaient tirer de moi. Désolée, ajouta-t-elle. C'est dur pour toi. »

Laura tenta de protester, mais ce ne fut guère convaincant et maman l'ignora délibérément.

« Je suppose que je devrais m'inscrire à des cours. Histoire de l'architecture, peut-être, ou un cours de langue. Mais c'est souvent le soir, et je tombe de sommeil à ce moment-là.

— Pourquoi "je devrais" ?

— Oh, tu sais bien. Pour ne pas être tout le temps dans tes pattes.

— C'est ta maison. Ce serait plutôt à moi de dire ça.

— Très juste, ma fille, fit maman avec brusquerie. Prends un amant, ou que sais-je. Désolée. Je suis d'une humeur massacrante. C'est la faute de cette gourde avec sa maîtrise de sciences humaines et de danse appliquées à la médecine. J'irai mieux après ma sieste. Désolée. »

De retour à la maison, maman se retira dans les W-C du rez-de-chaussée pendant que Laura garait la voiture, puis sa fille la jucha sur le siège du monte-escalier installé avec difficulté, l'escalier étant beaucoup plus étroit que la normale. Elle l'aida ensuite à s'allonger sur son lit, lui ôta ses chaussures et tira les rideaux. Elle voyait bien que maman était fatiguée : elle n'essaya même pas d'enlever la robe qu'elle avait enfilée pour sortir.

Laura savait qu'elle aurait dû s'attaquer aux comptes du client suivant, mais la lumière de l'après-midi qui traversait sa chambre en diagonale était trop attrayante : elle envoya promener ses souliers et s'allongea également, tandis que la respiration profonde de maman dans la chambre voisine se transformait en ronflements réguliers, méditatifs.

Elle ne dormirait pas – elle résistait à la tentation de la sieste même quand elle vivait à Paris – mais elle resterait allongée quelques minutes, tout habillée, sur le dessus-de-lit. Elle écouta les ronflements de sa mère, le chant des oiseaux, la stridulation électronique d'un camion qui faisait marche arrière au loin et examina les meubles et les tableaux auxquels elle ne s'était toujours pas accoutumée. De jolies aquarelles dans des cadres dorés abîmés, une commode sur laquelle trônait un miroir de coiffeuse surmonté d'un petit oiseau et d'un ruban sculpté, une armoire en bois sombre bien encaustiqué. Et une bibliothèque Globe-Wernicke.

Avec la table du pavillon de jardin, ces bibliothèques, aujourd'hui disséminées dans toute la maison, étaient les seuls meubles de son enfance que sa mère avait gardés. Plus lourdes et plus pratiques que le mobilier géorgien, équipées de portes en verre qui se repliaient ingénieusement au-dessus de chaque rangée de livres (petite fille, elle les appelait des *garages à livres*) elles paraissaient incongrues et n'allaient pas vraiment avec le reste, mais sa mère avait toujours apprécié que les livres soient à l'abri de la poussière.

Tout le reste – les tableaux, les chaises, même les lits – avait appartenu aux grands-parents maternels de Laura. Elle ne s'y connaissait pas du tout en meubles anciens, ayant grandi dans une maison où tout le mobilier, à part les garages à livres, avait été soit fabriqué par son père, soit acheté chez Habitat.

Son père était orphelin de guerre et sa mère avait coupé les ponts avec sa famille (ou en avait été bannie – l'histoire variait) quand elle s'était mise en ménage avec lui. Ce ne fut que bien des années plus tard, arrivée à la quarantaine, que Laura mesura la signification affective des meubles modernes au milieu desquels elle avait grandi. D'après ce qu'elle avait cru comprendre, papa et maman venaient de milieux radicalement opposés. Les parents de son père tenaient une librairie politique à Camden – bombardée alors que grand-mère, déjà veuve de guerre, se trouvait au sous-sol. Pendant deux ans, son père avait été quasiment adopté par la famille d'un de ses professeurs à Bournemouth, qui l'avait accueilli comme évacué, s'était assuré qu'il finissait ses études au lycée et entrait à la London School of Economics, où il avait étudié les sciences politiques. C'est dans cette université, lors d'un débat politique, qu'il avait rencontré maman.

Elle venait d'une famille de propriétaires terriens du Hampshire, grands chasseurs devant l'Éternel, et avait rué dans les brancards non seulement en ayant un cerveau, mais en insistant pour s'en servir. Elle était en partie venue à bout de la résistance parentale en déclarant qu'elle allait apprendre à soigner les chevaux au Royal Veterinary College, mais c'était une ruse de guerre et elle avait changé pour étudier la biologie à l'Imperial College, avec la ferme intention de se spécialiser dans les virus. Ils étaient devenus sa passion depuis une conférence sur la lèpre faite par un missionnaire dans son école de St Swithun's.

Si elle n'était pas enfant unique – elle avait un frère exploitant agricole en Nouvelle-Zélande, et un autre qui était resté dans le Hampshire mais manifestait une préférence inquiétante pour les meubles anciens et les vieilles femmes plutôt que pour le mariage et les chevaux –, elle était la seule fille, la petite dernière que l'on couvait et ses parents furent outrés lorsque non seulement elle se lia à un barbu de gauche sans racines, sociologue par-dessus le marché, mais s'installa avec lui. Elle se montra insensible au chantage affectif comme à la menace d'être déshéritée et se brouilla avec sa famille.

Elle n'avait pas très envie d'être mère et vivait avec un homme pour qui la famille participait d'un système patriarcal à l'origine de la plupart des maux du monde moderne, depuis la pauvreté jusqu'à la dépression, et elle recourut à de multiples méthodes contraceptives, selon le principe que deux précautions valent mieux qu'une. L'arrivée de Laura fut un accident : maman était alors professeur à l'Imperial College et déjà âgée de trente-cinq ans et papa prof d'IUT. Ils formaient un couple de gauche si rangé que les gens étaient toujours surpris d'apprendre qu'ils n'étaient pas mariés.

Laura avait eu une enfance bizarre. Pas malheureuse – elle avait bénéficié de l'attention d'adultes intellectuels, de livres, joui d'une excellente santé –, mais elle n'avait jamais su se faire d'amis de son âge. Les amitiés lui tombaient dessus, elle ne les choisissait pas. Un frère ou une sœur l'auraient aidée, mais après sa naissance papa avait subi une vasectomie – qu'on lui expliqua avec force schémas –, de sorte qu'elle passait le plus clair de son temps libre seule ou en compagnie d'adultes, le plus souvent intelligents, mais mal à l'aise en société. Cela expliquait peut-être qu'elle ait aussitôt apprécié la vie tribale de Summerglades.

Elle n'avait jamais oublié sa peur panique en arrivant à Oxford. D'une timidité maladive, elle avait bûché ferme parce que tout le reste impliquait de sortir, de voir des gens. Il lui avait fallu des semaines pour découvrir que dans une organisation aussi vaste personne ne

137

s'apercevrait qu'elle n'avait pas d'amis, que tout le monde s'en ficherait. Elle baissa sa garde et c'est ainsi qu'Amber et Tris avaient pu l'annexer.

Il s'avéra tout compte fait que les relations avec la famille de sa mère n'avaient pas été totalement rompues. Peut-être avaient-elles simplement échappé à la vigilance masculine et se résumaient-elles à un échange de cartes postales de temps à autre ou de lettres entre mère et fille à Noël. On n'avait jamais présenté Laura à ses oncles ni à ses grands-parents et, poussée par son père, elle avait tendance à se les représenter, si tant est qu'elle pensât à eux, sous les traits de l'Ennemi. Maman ne lui avait annoncé la mort de son grand-père qu'après les obsèques à Itchen Abbas. Laura et papa l'avaient surprise assise à la table de la cuisine, dans son plus beau tailleur sombre et en escarpins, l'œil rougi, tenant à la main la vieille montre de son père. Après, elle prit l'habitude de descendre déjeuner dans le Hampshire une fois par mois environ, chose que papa détestait mais ne pouvait empêcher. Maman respecta cependant le statu quo et n'insista pas pour que Laura se joigne à elle. Laura avait alors dix-neuf ans, travaillait comme une folle pour ses examens d'entrée à Oxford et Cambridge et n'était pas à prendre avec des pincettes, comme il fallait s'y attendre.

« Elle adorerait te voir, tu sais, s'était contentée de dire maman. Tu n'es pas curieuse ? C'est le seul grand-parent qui te reste, après tout.

— Elle n'a jamais voulu me voir avant, se borna à répondre Laura. Pourquoi est-ce que je devrais soudain avoir envie de faire sa connaissance ? » Et le débat fut clos.

Elle avait trente ans et vivait à Paris quand papa était mort, quelques mois seulement après un départ à la retraite forcé. Maman était alors plus ou moins retirée : elle ne dirigeait plus de thèses, et se contentait de donner des conseils pleins de ressentiment sur deux ou trois projets de recherche, rien de plus. Avant la fin de l'année, elle vendit la maison de Ripplevale Grove pour s'installer à Winchester, jetant ou vendant pratiquement tout le contenu de la vieille demeure londonienne et installant dans la nouvelle des objets hérités de son antiquaire de frère mort célibataire. Elle avait complété avec les meubles de sa mère lorsque cette dernière avait choisi de vendre la maison familiale d'Itchen Abbas pour aller vivre à Kingsworthy, dans un minuscule appartement à l'intérieur d'une agréable résidence pour personnes âgées.

Ces tableaux et le mobilier, élégant, discret, *pas de la camelote*, disait sans ménagement maman, étaient tout ce que Laura connaîtrait jamais de la famille qu'elle avait refusé de rencontrer. C'était superbe dans un genre très anglais mais, à la mort de maman, elle garderait sans doute les bibliothèques et vendrait tout le reste.

Elle se réveilla en sursaut, vérifia l'heure, vit qu'elle avait juste piqué du nez, mais dut quand même faire un effort pour se lever. C'était un des inconvénients de la vie avec sa mère : elle ne cessait d'être fatiguée, passait son temps à s'assoupir dans les fauteuils ou à son bureau, comme si la somnolence du grand âge était contagieuse. Elles avaient trente-cinq ans de différence – comparée à maman elle aurait dû péter le feu –, et pourtant c'était maman, de plus en plus, qui semblait la plus dynamique, la plus pressée d'agir. « Peut-être que je couve quelque chose, songea-t-elle. Peut-être que je souffre de dépression ? »

Comme pour confirmer ce point, le bruit de sa mère s'affalant sur le siège du monte-escalier se fit entendre, suivi du ronronnement du moteur.

Laura alla se rafraîchir la bouche dans la salle de bains. Sa mère était dénuée de vanité et le miroir du lavabo était d'une agréable exiguïté, éclaboussé de savon et mal éclairé. On pouvait se brosser les dents, se les rincer et cracher sans se voir.

Un verre d'eau

LE SANDWICH DU LABO PHARMACEUTIQUE LUI AVAIT DONNÉ SOIF.
Ben avala un verre d'eau du robinet qu'il remplit à
nouveau avant de le rapporter pour le boire à son
bureau. Comme les autres pièces où il travaillait, celle-ci
était dépourvue de toute note intime – pas de photos,
pas d'objets personnels, rien qu'il ne puisse emporter
dans sa sacoche ou ses poches. Il avait accepté un tel
abaissement de statut pour obtenir ce poste qu'il se
contentait de travailler à l'endroit qu'on lui assignait.

La demi-journée qu'il ne consacrait pas à la consultation MST était dévolue à la consultation VIH. Quinze
ans plus tôt, toutes les consultations auraient partagé
les mêmes locaux et les mêmes horaires de rendez-vous,
mais cela n'avait jamais vraiment convenu. Les
nouveaux patients étaient souvent diagnostiqués à la
suite d'un test VIH effectué dans le cadre d'un dépistage ou d'un traitement des MST, mais les séropositifs
étaient, Dieu merci, généralement suivis sur le long
terme, qu'ils soient encore asymptomatiques ou déjà
malades : leur état exigeait au minimum des analyses
de sang et des check-up réguliers en vue de contrôler
leur niveau de lymphocytes T4 ainsi que leur cocktail de

médicaments, tandis qu'un syphilitique pouvait ne venir à la consultation MST qu'une seule fois dans sa vie.

La plupart des séropositifs étaient suffisamment détendus pour ne pas recourir à des pseudonymes. Ils étaient suivis régulièrement et avaient confiance dans les médecins et le personnel soignant, mais il y avait toujours des exceptions : l'homme terrifié de perdre son assurance-vie si ça se savait ou la femme que Ben venait de voir cet après-midi et qu'il soupçonnait de dissimuler sa séropositivité à son mari et à ses enfants.

Il ne fut donc pas surpris quand, consultant sa liste de rendez-vous, il découvrit que la malade suivante était une certaine Mme Jones. D'habitude, le dossier médical suffisait à lui rafraîchir la mémoire ou lui donnait suffisamment d'indications pour que le patient ne se sente pas froissé par son ignorance. Mais cette Mme Jones n'avait pas de dossier, juste une chemise neuve avec une note disant *nouvelle pte* et une feuille blanche de format A4 glissée à l'intérieur. Ben finit de boire son eau avant d'appeler le bureau des infirmières.

« Salut, Sherry. La Mme Jones que je dois voir maintenant, c'est un transfert ?

— Ne quittez pas, Ben. » Il entendit Sherry conférer avec une collègue. « Ouais, confirma-t-elle. Pas de dossier. C'est une nouvelle, elle vient de s'installer dans le coin.

— Ah bon, d'accord. »

Il sortit et emprunta le petit couloir menant à la salle d'attente. Comme elle servait aussi de réception à la consultation VIH adjacente, elle était toujours assez bondée : des visiteurs qui passaient ou attendaient de ramener des patients à la maison. Il évita un bambin trépignant qui courait après une balle en caoutchouc et examina les visages. « Madame Jones ? »

C'était elle. Évidemment. Elle se leva en réprimant un sourire et serra la main qu'il lui tendait.

Comment avait-il pu penser qu'elle avait l'air bizarre ? Il la trouvait charmante à présent avec ses bras et ses jambes hâlés, son long cou ambré. La façon timide dont elle baissa légèrement la tête lorsqu'elle croisa son regard, de sorte que ses cheveux voilèrent son visage, lui donna envie de l'embrasser sur-le-champ. « Par ici, s'il vous plaît », fit-il et il la conduisit le long du couloir. Il ne parlait jamais aux patients avant qu'ils ne soient à l'intérieur de sa salle de consultation, par égard pour le secret médical, mais c'était impossible avec elle. Il fallait qu'il dise quelque chose. Les mots bouillonnaient en lui et il se débattit pour trouver les paroles appropriées car ses confrères et les infirmiers étaient partout.

« Nous n'avons pas encore votre dossier, bégaya-t-il.

— Non, répondit-elle d'une voix également peu assurée. J'ai déménagé subitement. De Paris.

— Paris ? Ça explique tout. Veuillez me suivre. »

Il avait à peine fermé la porte qu'elle l'embrassait. Miracle délicieux, la porte avait un verrou.

« Je suis désolée, murmura-t-elle en reprenant sa respiration. Vraiment désolée.

— Non, c'est moi. C'est entièrement ma faute. Je suis d'une telle lâcheté. Si, si. Oh. Je suis... » Ils durent s'embrasser à nouveau. C'était plus fort qu'eux.

« On a combien de temps ? commença-t-elle.

— Un quart d'heure. Au grand maximum. Nous ne devrions vraiment pas. »

Mais en deux temps, trois mouvements elle avait enlevé sa robe. Elle portait la lingerie française vert sombre qu'il se rappelait d'un précédent rendez-vous. C'était incroyablement prévisible et idiot de sa part, mais il trouva ça éminemment érotique. « Nom de Dieu, fit-il. Attends. » Il baissa le store. Ils étaient à un étage élevé, mais les laveurs de vitres avaient le don d'apparaître sans prévenir.

Elle grimpa sur la table d'examen. Ses pieds nus firent couiner la housse en vinyle.

« Ce n'est pas bien, murmura-t-il.

— Je sais. » Elle sourit et leva une main pour l'empêcher de dénouer sa cravate. « Non, chuchota-t-elle. On n'a pas le temps. Garde tout. »

Ce fut fini en pas même cinq minutes. Elle était si excitée qu'il eut à peine besoin de la toucher. Une femme de ménage avait involontairement enlevé le frein des roulettes et la table parcourut une certaine distance sous l'effet de leurs ébats. Tandis qu'il se rajustait, elle enfila sa robe et ses souliers, s'assit d'un air sage sur la chaise qu'elle aurait occupée en tant que patiente et répara le désordre de sa coiffure avec un peigne. Il s'assit devant elle, prit une de ses mains dans les siennes et embrassa l'extrémité de ses doigts.

« Oh, mon Dieu, fit-il.

— Je sais.

— Paris, hein ?

— Oui.

— Tu ferais mieux…

— De partir. Oui. Je sais.

— Mais est-ce que je peux te revoir ?

— Oui. Oh, oui. Ne dis pas de bêtises. Fini les enfantillages.

— Oui. Je vais… Nous allons… »

Elle dégagea sa main, la lova brièvement autour de sa mâchoire et se leva. « Bien sûr que oui. Tout.

— Tout ira bien, n'est-ce pas ?

— Oui. »

Elle l'embrassa sur le front et sortit. Il tira sur le cordon d'ouverture des lamelles du store et le soleil dessina des bandes de lumière crue. Il alla une fois de plus remplir son verre au robinet et le but cul sec. Avant de se laver les mains avec de l'Hibiscrub rose criard, il porta ses doigts à sa bouche et à son nez et les huma. Puis, tandis que l'eau chaude embuait le miroir, il émit une sorte de sanglot, s'éclaircit la gorge et fit semblant de tousser.

L'heure du thé

« TU AS DORMI AUSSI, LUI DIT SA MÈRE.

— Je n'en avais pas l'intention. »

Maman lui tapota gentiment la nuque. « Tes cheveux rebiquent un peu », observa-t-elle.

Ces moments de sollicitude et de tendresse devenaient plus fréquents entre elles, mais n'en étaient pas moins si inhabituels, cadrant mal avec la personnalité de sa mère, que Laura ne savait jamais comment réagir. « On prend le thé dans le jardin ? proposa-t-elle. J'ai acheté un quatre-quarts au citron.

— Oh, chic. »

Maman, qui n'avait jamais vu l'intérêt des desserts ni de faire de la pâtisserie, et habitué la petite Laura à une nourriture saine et frugale, avait le bec de plus en plus sucré en vieillissant. Laura lui achetait chaque semaine plusieurs tablettes de chocolat, qu'elle devait manger en cachette car elle ne lui en offrait jamais. Il arrivait à Laura de retrouver sur le côté des fauteuils ou derrière les coussins des carrés égarés qu'elle se dépêchait d'avaler sans le moindre scrupule si elle se savait seule. Elle avait l'impression de prendre du poids.

Maman avait déjà laborieusement placé tasses et assiettes sur un plateau. Laura mit l'eau à bouillir puis se dépêcha d'installer sur son siège de jardin en bois les coussins empilés près de la porte à cet effet.

« Je cherchais quelque chose dans mon tiroir à collants quand j'ai découvert une boîte pleine de vieilleries. Des photos, notamment. Elle est à côté de la huche à pain. Garde ce que tu veux et on balancera le reste. » Comme à son habitude, maman continua à parler tout en s'éloignant lentement dans le jardin. « D'ailleurs, pendant qu'on y est, on devrait bazarder la moitié de ce qui se trouve dans ce tiroir. Je ne remettrai jamais de collants, juste ces affreux mi-bas, alors autant… » Elle parla d'en faire des ceintures de tuteurage, puis ses paroles se perdirent.

« Je ne t'entends plus », dit Laura, pas assez fort pour être elle-même audible, puis elle souleva le couvercle de l'antique boîte à chocolats et commença à en trier le contenu. C'étaient des instantanés de vacances qui pour une raison ou une autre n'avaient pas trouvé de place dans les albums. Laura avec son père souriant, barbu et l'air incroyablement juvénile devant Christchurch Priory. Laura avec sa mère à Wimborne Minster. Ses parents, photographiés de guingois sur la plage par Laura, flanquant avec un grand sourire un âne en chapeau de paille. Laura toute seule, âgée d'environ six ans, en tee-shirt Ladybird et pantalon à sous-pieds élastiques, tendue et perdue dans une prairie anonyme. Il y avait aussi différents boutons ayant appartenu à des vêtements jetés depuis longtemps et un badge de conférence annonçant *Pr Harriet Jellicoe*. Une photo d'elle avec papa, l'air sombre, près du port de l'Arsenal, et plusieurs cartes postales de vacances envoyées par des amis à l'écriture illisible et gardées pour des raisons inexplicables.

Quand la bouilloire se mit à siffler, Laura jeta la boîte et son contenu à la poubelle, prépara le thé et disposa une tranche de quatre-quarts sur chaque assiette. Puis elle récupéra la boîte à chocolats dans la poubelle et en sortit les photos de son père jeune et d'elle, la Lara solennelle, qu'elle fourra dans sa poche avant d'emporter le plateau au jardin.

Le soleil avait brillé toute la journée et leur petite oasis embaumait la lavande et les pois de senteur avivés par le soleil. Les abeilles s'enivraient bruyamment dans deux potées de lis blancs qui encadraient l'aire de repos. Maman comptait de plus en plus sur les plantes en pots pour créer ses effets car c'était moins fatigant : il suffisait de demander à Laura de les déplacer. Quatre pots avaient déjà vu des jonquilles naines et des anémones de Grèce céder la place à des jacinthes bleu de Delft et à des tulipes perroquets vert et blanc. L'automne apporterait des glaïeuls d'Abyssinie et des lis dont le rose vif était toujours source d'inquiétude. L'hiver introduirait une palette de couleurs plus douces qui dureraient plus longtemps : des pensées et un ou deux lierres à feuillage panaché.

Maman était installée dans l'ombre moirée de lumière : ses jambes marbrées et toujours minces reposaient sur ce qui avait été un tabouret-agenouilloir de jardinier, mais servait à présent de repose-pieds. À la voir assise dans ce berceau de verdure, dans sa belle robe, bien coiffée, on aurait cru une publicité pour un plan d'épargne-retraite ou des aides à domicile. *Madame Lewis peut dormir sur ses deux oreilles. Et vous ?* Sauf que c'était le Pr Jellicoe et qu'elle lisait un livre aux illustrations épouvantables intitulé *Les Fléaux de Vénus*, dont elle faisait un compte rendu critique pour le *Times Literary Supplement*, ce qui rendait le tableau un peu moins idyllique.

Laura versa le thé et tendit à maman la tranche de quatre-quarts que celle-ci dévora immédiatement en parsemant son livre de miettes jaunes.

« Tu as trouvé la boîte ?

— Surtout des cochonneries.

— C'est bien ce que je pensais. »

Laura lui tendit la photo qui la montrait au milieu d'une étendue d'herbe. « C'était où ? »

Maman l'examina. « Dieu seul le sait. Ç'aurait pu être n'importe où. Si tu remets la main sur l'album où tu as le même âge, tu pourras sans doute comparer les vêtements et retrouver l'endroit. » Elle regarda de nouveau la photo. « Tu étais une petite fille si *sérieuse*.

— J'avais des parents drôlement sérieux. »

Maman lui rendit la photo sans commentaire, chassa les miettes de son livre et reprit sa lecture. « Il reste du quatre-quarts ? demanda-t-elle.

— Bien sûr », dit Laura en se levant.

Elle savait que c'était agaçant de questionner quelqu'un qui essaie de lire, mais elle s'en fichait. Elle était allée chercher le gâteau, elle avait le droit. « Est-ce que tu as jamais regretté ta relation avec papa ? »

Maman répondit tout en poursuivant sa lecture, un de ses vieux trucs, comme aborder des sujets délicats en conduisant. « Bien sûr que non. Il m'a sauvée. Mon père était de la génération qui n'aurait donné sa fille qu'à un autre homme, pas à une carrière, quoi qu'il ait pensé de l'homme en question. » Elle posa son livre sur ses genoux d'un air pensif. « Je me sens parfois coupable, évidemment. Ton père aurait été plus heureux avec une femme plus femme.

— Mais non.

— Il aurait voulu avoir beaucoup plus d'enfants. Peut-être pour compenser son absence de famille. Il avait beau dire du mal du système patriarcal, au fond de lui, il aurait bien aimé avoir une tribu, mais je n'étais pas une mère nourricière. Pas vraiment. » Elle posa sur Laura un regard froid, patricien. « N'est-ce pas ?

— Je n'avais pas de points de comparaison », répondit Laura, qui détourna les yeux pour observer une grive chassant dans un parterre. Elle la vit sauter sur un escargot et le lancer violemment contre le mur.

« Ça te dirait d'aller aux vêpres, tout à l'heure ? Je veux dire, ça ne te dérange pas ? demanda maman.

— Pas du tout. Nous irons à cinq heures.

— C'est tout juste si tu as pu travailler aujourd'hui. Je suis désolée. Demain sera peut-être plus paisible.

— Ce n'est rien. C'est seulement que j'étais allongée sur mon lit en train de regarder le mobilier et que je me suis rendu compte que, en dehors des garages à livres qui t'ont toujours appartenu, tu n'avais rien gardé de Ripplevale Grove.

— Tout cet horrible pin !

— Mais tu as vécu avec pendant des décennies.

— Bien obligée. Nous étions pauvres et c'était bon marché. Au bout d'un moment, j'ai cessé de le voir. Mais après la mort de ton père et une fois à la retraite, j'ai recommencé à le voir, et sans ton père ce n'était plus très supportable. Pas plus que Londres. Il ne s'agissait que de tables et de chaises, Lara.

— Laura.

— Laura. Je pense souvent à lui. Tous les jours. Et toi ?

— Probablement.

— Qu'est devenu le gentil garçon qui est passé te voir ? Celui qui ressemble au reporter sexy de la BBC avec ses dents écartées. Je l'ai trouvé sympathique.

— Moi aussi. Oh, tu sais, c'est compliqué quand on est adulte. Tu veux encore du thé ? »

Maman secoua la tête, jeta un coup d'œil à la montre de son père et retourna aux fléaux de Vénus.

Ben avait enfin été mentionné, était devenu un sujet de conversation. Laura continua à penser à lui tandis qu'elle ramassait les tasses et les assiettes, rapportait le plateau à la cuisine, rangeait le quatre-quarts et remplissait le lave-vaisselle. Elle se sentit peu à peu submergée.

Elle se hâta de regagner sa chambre, ferma la porte, envoya promener ses chaussures et s'allongea sur son lit, juste pour un instant. Elle se mit sur le ventre, pressa ses poings sur son sexe. Elle sentit son poids sur elle, sa voix à son oreille et pleura dans son oreiller.

Lettre d'amour

Chérie,

Tu as toujours dit – tu ne t'en souviens probablement pas – que nous ne devrions jamais nous appeler ainsi parce que c'est ce que disent les amants qui ne s'aiment plus. Je suis donc désolé, mais j'aime ce mot.

Ta merveilleuse petite visite à l'hôpital, inattendue, inespérée, imméritée m'a rendu euphorique ; et merde au travail, au diable les patients. Je veux partager cette sensation avec toi. Tu sais combien je suis lamentable au téléphone et que je ne vaux guère mieux dans les explications en tête à tête. Il y a déjà plusieurs versions déchirées de cette lettre au fond de la poubelle et je continue à ramer.

Nous n'avons pas pu nous parler quand tu es venue, mais ce n'est peut-être pas plus mal si ça m'a empêché de laisser échapper de ces choses qui devraient être dites avec ménagement. Maintenant que j'ai eu un moment pour réfléchir, tout me paraît très clair, très simple soudain, comme si tu avais chassé les nuages et toute la grisaille.

Je t'aime et je veux être avec toi toujours, quoi qu'il en coûte, quels que soient les compromis ou les sacrifices que je doive faire et même si je dois patauger dans un beau bourbier.

Bobby s'en sortira. Il s'adaptera et se débrouillera, c'est évident. Il m'a fallu cette période d'inquiétude et de silence entre nous pour m'apercevoir que je m'étais trompé de priorités et que je l'avais follement surprotégé. Le changement fait partie intégrante de la vie et il devra s'y habituer s'il veut son indépendance.

Mais tout cela suppose que tu sois d'accord. Je t'entends d'ici dire : « On reconnaît bien là la maudite arrogance masculine. » Mon comportement à ton égard a été insultant et t'autoriserait parfaitement à m'envoyer paître. J'espère que tu n'en feras rien. Pourras-tu jamais me pardonner ? Pouvons-nous, non pas oublier, mais du moins tirer un trait sur le passé et recommencer ? Bon sang, j'espère que oui.

Je ne posterai sans doute pas cette lettre, ma chérie. Je crois que je suis trop timide. À moins que je sois en train de faire une répétition sur le papier, de rassembler mon courage pour les choses que je dois te dire. Je t'aime et tout ira bien. Avec tout mon amour. Absolument tout. B.

Vêpres

C'ÉTAIT UNE SOIRÉE PARFAITE : un ciel d'un bleu intense, des martinets qui s'abattaient sur l'enceinte gazonnée de la cathédrale en quête de mouches, une poignée de jeunes du coin, ivres de cidre et de soleil, affalés les uns sur les autres sous les tilleuls.

Laura se gara sur une place handicapés près de l'alignement de contreforts soutenant le flanc sud de la grande nef. Comme elle dépliait le déambulateur de sa mère, elle entendait la chorale répéter dans une salle toute proche.

Dédaignant comme d'habitude d'entrer dans la cathé-drale avec les touristes et d'affronter les troncs toujours embarrassants – ce qui de toute façon représentait un grand détour si on visait le chœur –, maman se dirigea vers le passage appelé Slype où se dissimulait une sorte d'entrée de service. L'ayant empruntée une fois avec un des chanoines, elle en avait mémorisé le code – A16AQJM85F – grâce à un procédé mnémotechnique.

« Avoir seize ans, quelle joie ! Mais quatre-vingt-cinq, flûte ! » se disait-elle tout en pianotant les chiffres et les lettres. Elles entrèrent par le transept sud, passèrent devant les anges agenouillés autour du tombeau de

163

Wilberforce [1] et gravirent les degrés menant au chœur. Il y avait bien un ascenseur pour les fauteuils roulants, mais il était situé de l'autre côté de l'édifice et maman préférait se hisser en haut des marches en s'accrochant à la rampe, avec Laura portant le déambulateur à ses côtés juste au cas où.

Une assistante du bedeau les accueillit comme des habituées, ce qu'elles étaient peut-être devenues à présent, et elles se trouvèrent des places, de vrais trônes, dans les stalles du chœur. Laura avait encore peine à croire que des sièges aussi splendides, aussi anciens, situés à quelques pas seulement du chœur et du clergé, de véritables pièces de musée, soient mis à la disposition du public. Elle regardait autour d'elle, sur la défensive, s'attendant toujours qu'un bedeau ou autre les fasse déménager.

La religion n'avait jusqu'à présent joué aucun rôle, bon ou mauvais, dans sa vie. Elle avait grandi dans un environnement scrupuleusement scientifique et athée, fréquenté des écoles où l'instruction religieuse était judicieusement œcuménique donc profondément déroutante et ennuyeuse. En dehors des épisodes les plus connus découverts à l'école primaire – Adam et Ève, Jonas et la baleine ou David et Goliath –, elle connaissait mal la Bible, en particulier le Nouveau Testament, son école de Camden étant très soucieuse de ne pas offenser ses élèves juifs. Elle s'était donc toujours sentie handicapée lors des visites de galeries d'art et d'églises durant les vacances, parce que nombre de peintures et

---

1. Samuel Wilberforce, évêque, troisième fils de William Wilberforce, le célèbre abolitionniste.

de sculptures étaient un livre d'images qui ne lui disait rien.

Comme les bons biscuits au chocolat et les consoles George II, se glisser aux vêpres était un des goûts de luxe que maman s'était découverts depuis son veuvage. Lors de sa première année à Winchester, elle explorait la cathédrale un après-midi quand on avait annoncé l'office. Alors qu'elle gagnait une des sorties avec d'autres mécréants agacés, le chœur avait entonné l'introït. La beauté de la musique l'avait forcée à s'asseoir pour écouter, ne serait-ce qu'à distance. Elle était ensuite revenue plusieurs après-midi, toujours installée loin du chœur afin de pouvoir savourer la musique et les paroles sans se sentir impliquée dans la liturgie.

« Mais alors je me suis dit, *C'est idiot. De qui as-tu donc si peur ? Je me fiche de ce que les gens pensent : ma foi ou mon absence de foi ne regarde que moi.* »

Elle s'était donc mise dans le chœur avec les fidèles et n'avait pas tardé à découvrir qu'elle n'était pas obligée de s'asseoir sur les vilaines chaises modernes près de l'autel, mais qu'elle pouvait s'installer dans les stalles, sur un solide coussin en tapisserie, au-dessus de ravissantes miséricordes, et occuper les moments les plus arides du service à admirer les chasseurs, les animaux, les feuilles et les fruits sculptés dans le chêne. Elle restait sur son siège pendant les prières mais, en regardant autour d'elle, elle avait remarqué que s'agenouiller était au-dessus des forces de nombre de fidèles très âgés et jugé indigne par une bonne partie des plus jeunes. Au Credo cependant, elle se levait en même temps que tout le monde.

Quand Laura l'avait accompagnée pour la première fois, elle avait été sidérée. « C'est du galimatias !

— Oui.

— Mais tu connais toutes les paroles !

— Évidemment. J'ai été élevée comme il faut. J'ai suivi des cours d'instruction religieuse l'année de mes douze ans à St Swithun's et j'ai été confirmée à treize ans par l'évêque de Winchester, ici même.

— Mais tu ne crois plus ?

— Je ne suis pas sûre d'avoir cru à l'époque. Je me contentais d'obéir. On faisait sa confirmation comme on se mariait, dans le fol espoir que quelque chose de solide s'ensuivrait. Comme je ne suis pas croyante, je ne vois pas quel mal il y a à prononcer les paroles. Elles sont belles. La certitude est tellement rassurante. C'est une marque de courtoisie en quelque sorte, comme le fait de prendre part à une coutume locale. Si nous étions dans un temple hindouiste ou parmi des zoroastriens, je suppose que j'agirais de même. Par politesse. La musique et l'édifice sont si splendides que l'offrande semble assez modeste en échange.

Laura faisait de son mieux pour rester la fille de son père. Elle regardait ostensiblement autour d'elle, allait jusqu'à lire la mauvaise prière ou les brochures de la cathédrale pendant l'oraison et restait résolument assise quand tous ceux qui l'entouraient se levaient et regardaient vers l'est au moment du Credo. C'était dur, pourtant. Elle n'aimait pas qu'on la dévisage, ni attirer l'attention sur elle. Malgré ses grands discours sur la bigoterie, le patriarcat et l'opium du peuple, son père n'avait jamais affronté l'ennemi sur son terrain. Alors elle fit un compromis et se mit à se lever et à regarder vers l'est comme tout le monde, mais resta muette, résista à la lâcheté de remuer les lèvres et déclina l'offre malicieuse de maman qui se proposait de lui apprendre les paroles.

« Je pourrais aussi t'enseigner le catéchisme. L'autre soir, je n'arrivais pas à m'endormir, j'ai fait un test et découvert que je me souvenais de tout. »

Credo mis à part, c'était un rituel merveilleusement peu exigeant, quasiment un concert. La musique variait énormément, elle allait de la polyphonie ou même du plain-chant dépouillé – les soirs où on ne disposait que de voix masculines – jusqu'aux compositions contemporaines compliquées, en passant par les riches arrangements victoriens et par ceux des années 1900 qui vous arrachaient des larmes. Il n'y avait pas de sermon assommant, pas de cantique démagogique. Au bout d'un certain temps, Laura découvrit qu'elle aimait bien les psaumes et leurs fréquentes crises de désespoir ou d'indignation, ainsi que les charmes inattendus des lectures. La majeure partie ne voulait rien dire pour elle, mais elle appréciait, tout comme elle avait apprécié les expositions de l'Institut du monde arabe alors qu'elle était incapable de déchiffrer l'arabe.

À cette époque de l'année, elle aimait lever les yeux de sa magnifique stalle pour explorer les moindres recoins de la voûte et des vitraux. Pendant l'hiver, on éprouvait un autre plaisir à sentir la vaste obscurité de la cathédrale se refermer autour de soi, et le chœur ressemblait à une flaque de lumière au milieu d'une forêt de pierre nocturne.

Les paroles, surtout celles du *Nunc dimittis* et les allusions répétées à la nuit et au silence – *l'agitation du monde s'est tue, la fièvre de la vie est retombée* –, l'identification inévitable de la fin de la journée à la fin de la vie tendaient à susciter chez elle une curieuse mélancolie, une sorte de nostalgie, un ressassement des chances passées et des amis perdus qui lui mettait la larme à l'œil si elle n'y prenait garde.

Ce soir, le souvenir du mobilier paternel mis au rebut et la boîte de vieilles photos qu'elle avait jetée avec tant de désinvolture la firent penser à son père et à la dernière fois qu'elle l'avait vu vivant. Elle porta la main à sa poche de chemise et fut rassurée d'y sentir sa photo.

Il avait profité des premières semaines qui avaient suivi son départ « volontaire » à la retraite pour venir la voir à Paris en Eurostar. Un véritable casse-tête pour elle car elle avait alors une liaison difficile avec un client divorcé qui essayait de prendre les choses au sérieux au moment où elle s'apprêtait à le larguer. Son appartement minuscule était dépourvu de chambre d'ami. Elle avait dormi sur le canapé pour que papa puisse avoir sa chambre et elle s'était accordé trois jours pour lui montrer la ville que, chose extraordinaire, il n'avait jamais visitée.

C'était la première fois qu'elle passait autant de temps en tête à tête avec son père, et ce que sa visite risquait de révéler de lui et de sa relation avec sa mère la rendait nerveuse et irritable. Il y avait une limite au nombre de choses qu'elle pouvait lui faire découvrir chaque jour et, à intervalles réguliers, ils devaient s'asseoir sur un banc dans un parc ou s'attabler dans un café et il se mettait à parler. Plus perturbant encore, il lui posait des questions directes : comment allait-elle vraiment ? Puis il poussait de grands soupirs destinés en partie à montrer qu'il savait qu'elle lui cachait la vérité, mais aussi à lui indiquer que c'était à elle de le questionner.

Elle ignorait délibérément la perche qu'il lui tendait pour parler joyeusement de la suite de leur programme.

Avec le recul, elle se demandait s'il se savait déjà malade, s'il réglait des comptes affectifs. Le comportement classique d'un homme dans cette situation aurait certainement consisté à lui arracher la promesse de veiller sur sa mère veuve. Au lieu de ça, il avait laissé entendre qu'il avait appris des choses de la vie, tiré de tristes enseignements qu'il aurait aimé connaître à l'âge de Laura. Mais elle avait passé sa visite à parer, à repousser ses ouvertures et à déguiser ses émotions.

C'était très bizarre. Quand ils étaient tous les trois en famille, l'instinct de Laura, son rôle presque, avait toujours été de prendre son parti. *Pauvre papa. On le néglige. On le sous-estime.* Mais sans sa mère, tellement plus intelligente qu'eux, tellement plus sûre d'elle pour jouer le rôle de l'adversaire, la polarité avait changé et Laura se surprenait à réagir comme s'il était terriblement indiscret, intrusif.

Puis il était mort dans un escalator de métro, quelques semaines seulement après sa visite à Paris.

Bien sûr, devinait-elle à présent, ce qu'il avait essayé de lui dire, c'était *Est-ce que tu te sens seule ? Je ne veux pas que tu sois solitaire parce que je le suis toujours et que c'est terrible.*

La vision spontanée qu'elle avait de son enfance, ce qu'elle en disait aux autres dans les dîners, c'était qu'elle avait été une indésirable, qu'elle avait tenu la chandelle dans une grande histoire d'amour sans mariage. Une fable que Laura continuait à se raconter parce qu'elle la réconfortait et ne lui coûtait rien : son père venait d'un autre milieu et avait sauvé une femme brillante d'un avenir abrutissant. D'après le peu qu'elle laissait échapper, sa mère se racontait la même chose. Mais la vérité était peut-être plus triste : il lui avait en effet offert une échappatoire, mais une fois libre dans leur ménage non conformiste, elle l'avait semé. Il n'avait jamais été son égal sur le plan intellectuel. Il n'avait été qu'un simple prof d'IUT. On ne l'invitait jamais à des conférences, on ne lui demandait jamais d'écrire des articles dans *New Society* ou *Tribune*.

Pour sa mère, la recherche représentait tout. Elle n'avait qu'une idée en tête : prouver ou réfuter l'existence des prions. Elle avait toujours considéré l'enseignement comme un mal nécessaire, secondaire par rapport à la formation et à la supervision d'une équipe d'étudiants-chercheurs. Quant à lui, il était clair qu'il aimait ses étudiants et se délectait de son rôle de mentor raisonnable et paternaliste dans leurs vies désordonnées et pleines de périls. À ses yeux, ils étaient sans l'ombre d'un doute les enfants qu'il n'avait pu avoir – une famille étendue exigeante, exaspérante –, et leur avoir été enlevé par son institut avait dû être dévastateur, un deuil immense.

Et voici que maman l'avait quasiment effacé. Il continuait à vivre par certains côtés en Laura, bien sûr, dans les albums photo et bizarrement dans la seule chose qu'il eût offerte à maman en plus d'une échappatoire : le sentiment de liberté qu'elle éprouvait à se débarrasser de ses vêtements.

Le cantique ce soir était un extrait du *Requiem allemand* de Brahms interprété dans un anglais d'une maladresse teutonique : *How Lovely Are Thy Dwellings Fair.* Laura était en train de se dire que l'accompagnement à l'orgue seul paraissait vraiment faiblard comparé à la riche orchestration de l'original quand elle entendit maman renifler bruyamment puis fouiller fébrilement dans ses poches. Elle faisait de son mieux pour ne pas pleurer. Un autre reniflement plus fort s'ensuivit.

Laura lui tendit un mouchoir propre. Le visage de maman était dissimulé par la sculpture en chêne qui les séparait, mais elle tapota la cuisse de Laura pour la remercier.

Une fois tous les fidèles debout pour regarder sortir la chorale et le clergé puis, selon le cas, agenouillés, affalés, ou la tête baissée pour la prière improvisée qu'ils se sentaient tenus d'offrir en guise de conclusion personnelle, maman avait apparemment repris contenance.

Elles serrèrent la main d'un chanoine souriant, furent saluées sans poignée de main par le doyen et une fois de plus Laura tint le déambulateur pendant que maman s'accrochait de tout son poids à la longue rambarde polie par les ans.

« Ça va, dit-elle en réponse à Laura qui tentait de la questionner une fois de retour dans le Slype. C'est ce maudit Brahms, c'est tout. Réaction pavlovienne. Je ne dirais pas non à un petit remontant. Tu as réussi à acheter un autre sachet d'allumettes au fromage ? »

Hommage affectueux

EUPHORIQUE, CRAVATE DESSERRÉE, veste sur l'épaule à cause de la chaleur, Ben descendit Romsey Road et coupa à gauche pour regagner son domicile en marchant sous les arbres au sommet d'Oram's Arbour. En dehors d'un début de lettre destinée à Laura, il avait passé l'après-midi à se répéter de ne pas sourire, de ne pas rire de façon déplacée pendant que les patients lui confiaient leurs histoires ou lui présentaient leurs symptômes. Il apercevait enfin le bout du tunnel, et l'impression de liberté après des journées empoisonnées par la culpabilité et l'incertitude était aussi grisante que l'air de juin.

Des enfants jouaient à un genre de base-ball désordonné dans l'herbe, assistés par un terrier fou, monté sur ressorts, qui courait en aboyant à chaque balle lancée ou frappée. Ils s'attiraient les regards impuissants et les commentaires des voyageurs se rendent à la gare, obligés de suivre le sentier qui passait au beau milieu du terrain de jeu improvisé. Le gazon venait d'être tondu : l'Arbour embaumait l'herbe fraîchement coupée qui maculait les pieds et les mollets des gamins. Enchanté, Ben contempla la scène une ou deux minutes, mais ne s'attarda pas car les enfants lui rappelèrent Chloë, pensée qu'il repoussa de peur qu'elle n'assombrisse son humeur de joyeuse irresponsabilité.

Bobby l'attendait : il était sur son trente et un et gesticula en l'apercevant.

« Dépêche-toi. Ça commence dans une demi-heure, dit-il.

— Quoi ?

— Le truc de Shirley. T'avais oublié ?

— Oui. Désolé. Merde.

— Tu vas où ?

— Me doucher. Je sors du travail, je suis dégoûtant.

— Pas le temps !

— Si. Prends un verre. J'en ai pour cinq minutes. »

Il se précipita dans la salle de bains en maudissant la langueur estivale qui s'était emparée de lui sur le chemin du retour. Il avait complètement oublié, alors que des confrères y assisteraient et lui avaient sans doute rappelé la cérémonie, mais il n'y avait pas prêté attention.

Bobby connaissait Shirley parce que c'était la prof bénévole qui avait enfin réussi à lui faire passer ses GCSE[1] d'anglais et de maths quand il avait vingt ans et des poussières. Elle était une des toutes premières patientes séropositives de Winchester à être décédée, si on ne tenait pas compte de ceux qui étaient morts dans des accidents ou d'autres maladies. La plupart réagissaient bien à la thérapie antirétrovirale. L'immunité s'améliorait avec une rapidité spectaculaire, même chez les patients à qui on n'avait administré les médicaments qu'aux derniers stades d'un sida avéré. La plupart de ceux qui étaient traités à un stade moins avancé

---

1. Le niveau équivaut en gros à celui du brevet des collèges.

avaient des charges virales VIH indétectables et des pourcentages de CD4 un peu en dessous de la normale. Shirley s'en serait mieux tirée si on avait établi le diagnostic plus tôt, mais c'était une rebelle de la vieille école et quand son mari était mort du sida, bien avant qu'on ne dispose des antirétroviraux, elle avait carrément refusé le test de dépistage par solidarité. Elle avait persisté et signé, assurant qu'elle allait bien et qu'elle préférait se croire séropositive plutôt que d'apprendre le contraire et de ne pas partager le sort de son mari. Lorsque ce qu'elle avait pris pour une grippe saisonnière s'était transformé en une pneumonie galopante et qu'on avait enfin décelé son sida, elle s'était révélée un des cas rarissimes qui réagissaient mal à la trithérapie. On avait essayé de lui administrer un autre *cocktail de drogues*, comme elle disait allègrement, mais son taux de lymphocytes T4 avait continué à plonger. Elle était morte en trois semaines d'un lymphome cérébral.

Au début de l'épidémie, les personnels des pavillons des malades du sida avaient dû oublier une partie de leur formation au détachement professionnel. Ils voyaient les mêmes patients sur une si longue période qu'il leur était impossible de ne pas s'impliquer au moins un minimum sur le plan affectif – les patients ainsi que leur proches n'en attendaient pas moins de leur part. Il y avait beaucoup moins de traumatismes professionnels qu'à l'époque où les pavillons semblaient n'offrir que la mort ou une mort différée, de sorte que le décès de Shirley avait secoué tout le monde.

« OK ! cria Ben en se précipitant dans sa chambre, les reins ceints de sa serviette de toilette. Quasiment prêt ! »

Il attrapa une tenue de week-end assez chic. Shirley était sans façon et n'aurait rien trouvé à redire à ce qu'il assiste à son service commémoratif en chemise à col ouvert et veste de lin au lieu d'étouffer dans un costume de travail comme Bobby. Il enfila ses souliers, saisit ses clés de voiture et dévala l'étroit escalier. « Prêt ! Bobby ? » Pas de réponse. « Bob ? » cria-t-il du bas de l'escalier en direction de la chambre de son frère, puis il le vit arriver de la rue.

« T'étais où ?

— Nulle part, dit Bobby avec un sourire espiègle.

— Qu'est-ce que tu as fait ?

— Rien ! Rien ! » Le sourire de Bobby s'agrandit. Il n'avait jamais été fichu de garder un secret parce qu'il avait tendance à sourire quand il était tendu.

« OK. Allez, viens, on va être en retard. »

Il s'était si peu servi de sa voiture récemment que de la poussière et des brindilles tombées des arbres recouvraient le pare-brise. Ben avait oublié de remplir le réservoir du lave-glace et les essuie-glace ne firent qu'empirer la situation. Il conduisait le plus vite qu'il l'osait, scrutait la route entre deux taches de boue pendant que Bobby fredonnait à ses côtés.

St Cross était un village, ou un ancien village, situé de l'autre côté de Winchester. Passer par le centre-ville, à sens unique, leur aurait pris trop de temps à cette heure de la journée. Ben s'engagea donc dans Romsey Road puis se dirigea droit vers l'extrémité du CHU avant de tourner à gauche dans St James Lane et d'emprunter une série de rues résidentielles cossues qui les amenèrent dans le sud de la ville. Résultat, ils durent bifurquer à droite devant la maison du Pr Jellicoe.

Des voitures montaient la colline, de sorte qu'ils furent obligés d'attendre quelques instants.

« J'ai fait la connaissance des gens qui habitent ici, hasarda Ben.

— Ici même ? demanda Bobby en regardant le mur et le portail. J'ai toujours aimé cet endroit. Très intime. Comment c'est à l'intérieur ?

— Charmant. La vieille dame est naturiste.

— Ah oui ? Ça veut dire quoi ?

— Elle aime bien se balader à poil. C'est pour ça qu'elle vit ici.

— Supercool. C'est une amie à toi ?

— Euh... non. Je connais sa fille Laura.

— Ah bon. Tu peux tourner maintenant, Ben.

— Ah oui. C'est vrai. »

Se garer à St Cross n'était pas facile en temps ordinaire, mais on attendait tellement de monde qu'on avait autorisé le stationnement dans un pré voisin. Deux femmes joviales vêtues de rose vif se tenaient à l'embranchement menant à l'église et brandissaient des panneaux disant *Adieux à Shirley, par ici !* Elles firent signe à Ben de franchir une ouverture dans la clôture.

La belle église ancienne, en grande partie romane, ressemblait presque, sous certains angles, à la cathédrale de Winchester en miniature. C'était le joyau du St Cross Hospital, hospice ouvert aux veufs et aux célibataires du diocèse, et immortalisé par Anthony Trollope. Les carillons, les vieux portails, les cours, les galeries du cloître, les terrasses ensoleillées, l'atmosphère de sérénité embaumée évoquaient un collège d'Oxford et la bonne humeur de Ben se teinta de doux regrets. Il décida d'amener Laura ici : il lui ferait peut-être traverser les noues jusqu'à un pub peu éloigné, la prochaine fois qu'ils seraient tous les deux libres.

Les gens continuaient à arriver : ils n'étaient donc pas les derniers. Ben aperçut plusieurs hommes en chemise rose ou lilas et n'avait pas encore vu de femme en noir.

« Il y avait une couleur de rigueur pour les vêtements ? demanda-t-il.

— Shirley aimait le rose.

— Shirley était aveugle.

— L'idée lui plaisait. »

Bobby, il s'en rendait compte à présent, s'était changé depuis ce matin : il arborait une chemise rose nacré et une cravate gris perle à pois roses. « Tu aurais pu me prévenir.

— À quoi bon ? Tu n'as rien de rose. J'ai vérifié. »

La grande église était aux deux tiers pleine. On leur remit une feuille et ils s'installèrent au fond. Ben aperçut trois infirmières du pavillon vêtues chacune d'un haut rose et un des médecins, qui, constata-t-il avec soulagement, avait l'air embarrassé par la sobriété de sa tenue de travail. Le reste de l'assistance lui demeurait étranger. Bobby, en revanche, avait l'air de connaître un tas de gens et on lui faisait signe de partout. Alors qu'il quittait son banc pour donner l'accolade à quelqu'un, Ben se concentra sur la feuille qu'on lui avait remise.

Le recto montrait une photo de Shirley le jour de son mariage avec le professeur de géographie bisexuel qui lui avait transmis le VIH. Son chien d'aveugle, poignée de harnais décorée de fleurs, se tenait entre eux. Le mari faisait partie des malchanceux qui, comme le Tris de Laura, étaient tombés malades et décédés au début des années 80. Lorsque Ben avait rencontré Shirley, elle était la veuve joyeuse par excellence, son deuil l'avait galvanisée et transformée en militante antisida, tout comme sa cécité l'avait poussée auparavant à faire campagne en faveur des handicapés.

Ben jeta un coup d'œil aux cantiques pour s'assurer qu'il les connaissait et regarda autour de lui. N'ayant jamais été à Lourdes ni à Knock [1], c'était la première fois qu'il voyait autant de fauteuils roulants dans une église. De cannes et de chiens d'aveugle aussi, d'ailleurs. Afin peut-être de rendre hommage à Shirley, leurs propriétaires avaient été invités à s'asseoir de part et d'autre de l'allée centrale, de sorte que les chiens, tous très obéissants et assis bien droits à côté de la chaise de leur maître, formaient une sorte de haie d'honneur pour la femme pasteur qui s'avança afin d'accueillir tout le monde et d'annoncer le premier cantique.

Bob arrêta de bavarder et regagna sa place au moment où l'orgue attaquait *All Things Bright and Beautiful.*

« Comment se fait-il que tu connaisses tous ces gens ? s'enquit Ben.

— J'sais pas, répondit Bobby. Je vis ici, non ? » Et de se mettre à chanter, vigoureusement, légèrement faux, mais sans se laisser abattre par ses difficultés à suivre les paroles. Après *Lord God Made Them All*, il renonça, cessa d'essayer de chanter des paroles qu'il ne se rappelait plus et se contenta de fredonner *lalala* et de reprendre au refrain, si bien que plusieurs de leurs voisins se retournèrent en souriant.

Ben était content de voir que son frère ne souffrait plus de démangeaisons. Connaissant Bobby, il n'avait pas dû croire que l'insecticide marcherait au bout d'une

---

1. Lieu de pèlerinage situé dans le comté de Mayo, en Irlande.

seule application, il en avait sûrement remis dans la journée, et ça devait sans doute le brûler.

La femme pasteur monta en chaire à la fin du cantique et, une fois le silence revenu, les invita tous à s'asseoir. « Ne vous inquiétez pas, dit-elle. Je sais combien Shirley aimait faire la fête, je n'en ai donc pas pour longtemps. » Déferlement de rires. « Notre amie Shirley Burgess était une femme extraordinaire. Clouée dans un fauteuil roulant jusqu'à l'âge de presque vingt ans, aveugle de naissance, en une seule année elle transformait plus d'existences et nouait plus d'amitiés que la majorité d'entre nous ne peuvent espérer le faire en toute une vie. Oui, elle a souffert en perdant Paul, oui, elle a souffert vers la fin de son long combat contre le virus du sida, mais si je devais choisir une phrase pour définir Shirley, ce serait *Elle ne s'avouait jamais vaincue.* Ce ne sera donc pas une surprise pour tous ceux qui l'ont connue d'apprendre qu'elle avait prévu son service commémoratif dans les moindres détails et n'allait certainement pas se fier à un simple pasteur pour l'organiser. Le cantique que nous venons de chanter et tous les mots que vous allez entendre jusqu'à ce que je récite quelques prières en conclusion ont été choisis par elle et constituent le message d'amour qu'elle vous adresse à tous. Aucun de vous n'a assisté à ses obsèques parce qu'elle affirmait que c'était une affaire privée et aussi parce que, comme elle ne cessait de le répéter, "La partie 'mort' n'a strictement aucune importance." »

Elle s'assit et un très vieil aveugle, que Ben ne connaissait pas mais qu'il apercevait souvent dans la grand-rue, guidé par son chien, s'approcha du lutrin. Flanqué de l'animal, il cafouilla bruyamment pour s'assurer de l'emplacement du micro, déclencha un rire en disant « Désolé, Shirley », puis sortit une feuille écrite en braille. « Le premier texte est un extrait de Henry Scott Holland, qui fut chanoine de la cathédrale Saint-Paul et mourut en 1918. » Il tourna ensuite la tête des deux côtés à la façon des malvoyants pour s'assurer de l'attention de son auditoire. « La mort n'est rien, commença-t-il. Je me suis seulement glissé dans la pièce d'à côté. Je suis moi et vous êtes vous. Ce que j'étais pour vous, je le suis toujours... »

Ben écouta suffisamment longtemps pour reconnaître dans ce passage un des extraits choisis par sa mère pour ses propres obsèques. Il jeta un coup d'œil à Bobby, mais ce dernier se contentait d'écouter, la tête légèrement penchée de côté, comme il avait tendance à le faire. (Maman s'inquiétait toujours que ce soit un signe de surdité, alors que l'audition de Bobby n'était que légèrement en dessous de la normale.) Ce choix de lecture avait alors surpris Ben car c'était l'affirmation sans détour de l'existence d'une vie après la mort, et il avait toujours pensé que leur mère n'y croyait pas. Mais la mort fait fléchir bien des résolutions. Sa mère avait peut-être simplement voulu y croire ou était morte en l'espérant.

Ce fut ensuite au tour d'un groupe de carillonneurs. Au début, à cause de l'acoustique qui renvoyait les échos, Ben eut l'impression d'une masse sonore confuse et bruyante avant de se rendre compte qu'il entendait une sorte d'introduction. La mélodie, quand il la reconnut, était *Climb Ev'ry Mountain*[1], qui fit naître de nombreux sourires entendus et souleva un tonnerre

---

1. Chanson de Rodgers et Hammerstein qui figure dans *La Mélodie du bonheur*.

d'applaudissements à la fin. Il y eut un autre cantique, *Lord of the Dance*, dont les paroles donnaient toujours à Ben envie de rentrer sous terre. Bobby éclata de rire pendant le couplet qui faisait rimer *fouetté* et *nudité*. Ensuite, une Écossaise en fauteuil roulant déclama *Ne pleure pas sur ma tombe*, de Mary Frye, qui suscita des murmures d'approbation. Puis, à la surprise de Ben, Bobby se leva et se mit à parler, d'une voix un peu tremblante au début.

« Shirley a été mon professeur. Elle m'a fait obtenir mes GCSE d'anglais et de maths. Enfin ! J'ai pu vendre des cafés et des journaux au lieu de me contenter de faire la plonge et de sortir les poubelles. Apprendre l'anglais avec quelqu'un qui lisait avec les doigts, ça m'a rendu très... » Il s'interrompit pour chercher le mot juste. « Très humble. Je crois que Shirley voulait que je vous lise ce poème parce que je l'ai eu en explication de texte et que je détestais vraiment les explications de texte. »

Il y eut des rires indulgents auxquels Ben se joignit ; quelques personnes, qui vraisemblablement savaient qu'ils étaient frères, lui jetèrent un coup d'œil. Bobby sortit de la poche de sa veste un bout de papier qu'il déplia. « *Première vue*, annonça-t-il, de Philip Larkin. » Il inspira un grand coup, souffla, inspira à nouveau puis commença. « Les agneaux qui apprennent à marcher dans la neige... »

Il éprouvait toujours quelque difficulté à lire, n'y trouvait guère d'agrément, et, comme d'habitude, il devait suivre le texte du doigt, ce qui occasionna des césures involontaires le temps de passer de vers en vers. Le poème de Larkin prit ainsi des significations imprévues sans compter que Bobby buta et faillit interrompre sa lecture arrivé au mot *incommensurable*. C'était néanmoins un exploit et Ben regretta que leur mère ne soit plus de ce monde pour le voir.

La fine mouche qu'était Shirley savait exactement quel effet son lecteur et son poème auraient sur l'assistance. On entendit beaucoup de reniflements tandis que Bobby regagnait sa place, rayonnant de fierté et soulagé, toujours séraphique malgré ses trente-huit ans. L'orgue attaqua le dernier cantique, accompagné à présent par les carillonneurs pour un final grandiose et, se levant comme tout le monde, Ben sortit de sa rangée pour laisser passer Bobby qui le serra très fort dans ses bras en lui envoyant au passage une bouffée d'eau de Cologne à la fois sucrée et boisée.

Le cantique était *Be Thou My Vision*, et pendant que Bobby fredonnait *lalala* avec entrain à côté de lui, Ben songea non seulement à leur mère, mais aussi à Laura et à Chloë, aux vies qu'il avait gâchées et s'apprêtait à gâcher, à tout le temps qu'il avait si bêtement perdu, et qu'il aurait pu consacrer à se forger des souvenirs, à avoir et éduquer des enfants, et à ce qu'il pouvait encore sauver du naufrage. Il se sentit totalement impuissant, farfouilla pour trouver un mouchoir et dut s'asseoir bien avant que le dernier carillon n'ait retenti.

Apéritif

LE TEMPS AVAIT CHANGÉ DURANT L'HEURE qu'elles avaient passée dans la cathédrale. Des nuages s'étaient amassés et l'air, si doux à leur arrivée, était devenu lourd et orageux. On entendit un roulement de tonnerre tandis que maman se dirigeait lentement vers la voiture. Elle s'était mise à acheter *des souliers pour sortir* une pointure au-dessus, car c'était plus facile pour se chausser et se déchausser, et ils claquaient sur le bitume. « Il y a de l'orage dans l'air », dit-elle, toute contente. Elle aimait ça : plus ça crépitait, plus il y avait d'électricité, mieux c'était.

Enfant, Laura était terrifiée par la foudre ; papa avait beau lui fournir des statistiques rassurantes et maman lui expliquer que les nuages noirs avaient des charges positives et négatives, rien n'y faisait. Ils tentèrent en vain de rendre la chose amusante en l'encourageant à calculer à quelle distance se trouvait l'orage compte tenu que le son se propage à 337 mètres par seconde et la lumière à 300 000 kilomètres par seconde. Leurs efforts bien intentionnés étaient sapés par leurs gloussements – ils aimaient tous les deux l'orage qui, Laura le soupçonnait à présent, les excitait comme des

189

adolescents un film d'horreur – et par le simple fait que sa peur de l'orage était aussi irrationnelle que la peur de l'avion. Ça ne servait à rien qu'on lui dise qu'il y avait très peu de possibilités d'être foudroyé. Laura redoutait la soudaineté de l'éclair, son manque de prévisibilité, son silence. Il y avait belle lurette qu'elle avait appris à dissimuler sa phobie, mais elle ne l'avait jamais perdue.

Une amie autoritaire l'avait une fois emmenée à une grande fête dans les Cévennes. Laura était la seule femme sans attaches, le seul homme libre était trop jeune pour elle, trop gay et faisait la tête parce qu'il en pinçait pour le mari d'une invitée. Il y avait eu un orage : certainement le plus violent orage d'été que Laura ait vu. Elle n'aimait pas les chiens : quelle n'avait pas été sa déception de découvrir qu'il y en avait encore plus à Paris qu'à Londres. Leurs hôtes avaient un danois, une chienne hautaine à taches noires du nom de Célimène qui portait un collier Hermès et n'avait témoigné aucun intérêt à Laura jusqu'à ce que l'orage éclate. Puis, tandis que tout le monde poussait des cris de joie, hurlait et allait patauger sous la pluie, Célimène s'était réfugiée auprès de Laura, sentant en elle une compagne de souffrance. Laura n'avait jamais vu d'animal aussi terrorisé. La grande chienne de garde perdit toute sa morgue : elle se recroquevilla contre ses genoux sous la table de la cuisine, claquant des dents, la queue entre les pattes. Et, s'efforçant de la réconforter de son mieux, Laura sentit qu'en comparaison elle maîtrisait sa peur.

Tandis qu'elles refaisaient le tour de la cathédrale en voiture, repassaient sous le portail voûté et regagnaient St Swithun's Street, les cieux s'assombrirent de plus en plus et les coups de tonnerre et les éclairs se firent plus fréquents et plus rapprochés. Maman baissa sa vitre et huma l'air comme une dégustatrice de vins. « Ça sent toujours divinement bon avant une averse d'été. Tu ne trouves pas ? Le jasmin et le compost. »

La pluie se mit à tomber au moment où elles entraient dans le garage. Le temps d'ouvrir le portail et de traverser le jardin à un train de sénateur, leurs robes étaient trempées.

Laura mit de l'eau à bouillir pour son couscous puis se précipita à l'étage se sécher les cheveux et se changer. En redescendant, elle ne fut pas surprise de découvrir les vêtements de maman entassés au pied de l'escalier et de la voir dans le jardin s'affairer avec un sécateur et une pelote de ficelle. Elle attachait les fleurs que la pluie menaçait de coucher, enlevait les fanées si nécessaire, mais elle se délectait aussi du simple plaisir animal de sentir l'ondée estivale ruisseler sur sa peau nue.

Tout en préparant le gin tonic de sa mère et en se versant un verre de vin, Laura fit une pause pour regarder et s'émerveiller. Elle n'arrivait pas à s'imaginer dans plus de quarante ans, arrivant au grand âge de quatre-vingt-cinq ans, affrontant l'inévitable rébellion de son corps, la décrépitude avec son cortège de fanons, de bajoues, de rides, de grisaille, et prenant néanmoins toujours plaisir à une activité aussi banale et aussi physique. Sa mère offrait un contraste saisissant avec les fidèles appuyés sur des cannes aperçus dans la cathédrale tout à l'heure, unis en apparence dans leurs seules préoccupations spirituelles.

Comme ça ne servait à rien de lui porter son apéritif dehors – la pluie le noierait en quelques secondes –,

Laura veilla simplement à tenir une serviette de bain prête pour son retour et s'attaqua à la préparation du dîner. Elle jeta une poignée de petits pois surgelés sur du couscous précuit, puis versa de l'eau bouillante, un peu d'huile d'olive et hacha un mélange d'abricots secs, de pistaches, de petits oignons blancs et de menthe en attendant que la semoule se réhydrate et que les pois décongèlent. Elle saupoudra ensuite une barquette de framboises de sucre vanillé, puis glissa deux côtelettes d'agneau sur le gril.

Elle aimait bien manger, mais cuisiner l'ennuyait et ses années de vaches maigres dans un espace confiné lui avaient appris à préférer les menus basés sur des achats judicieux et des mariages de saveurs astucieux à ceux exigeant de longues cuissons au four à la chaleur et aux odeurs persistantes.

Tandis que les côtelettes commençaient à grésiller, elle alluma la radio dans l'espoir d'oublier l'orage. Une BBC Prom avait commencé, série de concerts qu'elle appréciait d'habitude. Mais c'était la retransmission d'une création contemporaine. Elle persévéra une ou deux minutes, ne put surmonter le côté heurté du morceau et se rabattit sur une discussion impénétrable et apaisante consacrée aux mérites psychologiques respectifs de diverses disciplines spirituelles.

Un éclair illumina le jardin pendant une seconde : la radio crépita et elle sursauta comme s'il s'était agi d'un coup de feu. Un violent fracas de tonnerre fut suivi presque aussitôt d'un autre éclair et le courant sauta avant de revenir : leurs radios-réveils allaient être déréglés. Elle lança un regard angoissé par la porte ouverte. Maman ressemblait plus que jamais à un roi Lear d'avant-garde : des feuilles et des pétales sur ses seins et ses cuisses, les cheveux aplatis, assombris par la pluie, elle charriait sur son déambulateur un amas de fleurs fanées et de détritus qu'elle avait l'intention de porter au tas de compost quand elle en aurait terminé.

Laura sirota son vin, grignota une allumette au fromage, dont elles étaient devenues toutes les deux friandes, puis, sans réfléchir, vida le reste de son verre et le remplit à nouveau. Elles avaient énormément de chance d'avoir un jardin sans vis-à-vis. Il y avait une route devant, une à gauche, la tranchée de la voie ferrée qui passait derrière, leur unique voisin était l'église des chrétiens évangéliques : ses vitraux très en hauteur et l'absence de verrière les préservaient de tout regard indiscret ou désapprobateur.

À Islington, ses parents vivaient dans une maison mitoyenne et, malgré de hautes haies, avaient été obligés de confiner leurs séances d'Adam et Ève à une sorte de berceau de verdure créé à grand renfort de treillages qui s'écroulaient régulièrement sous le poids d'une vigne particulièrement vigoureuse.

Dès que Laura fut en âge d'aller et venir toute seule, papa mit au point un code secret. S'il plaçait devant la porte l'avertissement : *Pas de lait aujourd'hui*, ça signifiait que l'un d'eux ou les deux étaient dans le plus simple appareil. Cette simple perspective et l'angoisse de devoir trouver un moyen de détourner ou de faire attendre les visiteurs pour prévenir un scandale suffirent à lui couper toute envie de ramener des camarades à la maison.

Tout à fait indépendamment de son charme gothique, l'intimité que garantissait la maison de Winchester avait été un facteur déterminant dans le déménagement soudain de sa mère. La propriété était entourée sur quatre côtés d'un mur haut d'un mètre quatre-vingts typique du Hampshire : le cadre de brique était rempli de blocs de silex taillés et le portail, aussi haut que le mur, possédait un minuscule vasistas ouvrant sur un judas grillagé à hauteur de visage. Il y avait aussi une poignée de sonnette fixée au montant de la porte. À l'extrémité d'une longue rue bordée de villas spacieuses, la plupart dotées d'entrées non clôturées et engageantes, se dressait cette maison, puritaine, isolée, inexpugnable.

Laura se lassa du débat radiophonique et, honteuse de sa lâcheté culturelle, remit le concert du Royal Albert Hall où le morceau avait changé ou s'était considérablement apaisé, puis elle retourna les côtelettes et y étala un peu d'ail écrasé. Elle baissait le feu lorsque maman entra avec un bouquet de roses rouges veloutées.

« La pluie était en train de les coucher, dit-elle. Alors je me suis dit que j'allais les sauver. Tiens. *Étoile de Hollande**. Pour ta chambre. »

Elle les tendit à Laura et vacilla de manière alarmante, ayant oublié de mettre le frein de son déambulateur. L'orage et sa nudité l'avaient rendue euphorique et Laura se sentit de loin la plus vieille des deux.

« Merci, fit Laura. Elles sont belles. » Elle posa soigneusement les fleurs sur le plan de travail avant de ramasser la serviette de bain et de la jeter sur les épaules de sa mère. « Tu es gelée.

— Penses-tu. Chaude comme une caille, dit maman en claquant légèrement des dents. C'est pour moi ? demanda-t-elle en indiquant le gin tonic.

— Oui. Assieds-toi, je te l'apporte.

— Qu'est-ce que tu écoutes donc ?

— Une BBC Prom. C'est très bon pour ce qu'on a. »
Elle aida sa mère à s'installer dans son fauteuil, fit
rouler sa petite table et posa dessus le gin tonic et les
allumettes au fromage. Il y avait beau temps qu'elle
avait renoncé à demander à sa mère de se laver les
mains avant les repas si cette dernière n'y avait pas
veillé personnellement.

Au cours du dîner, elles se disputèrent. Alors qu'elle
finissait sa côtelette, maman lança tout à trac : « Tu sais,
je devrais peut-être aller dans une maison de retraite,
tout compte fait. On pourrait vendre la maison pour
payer les frais ou se contenter de la louer. »

Laura savait que la vivacité de sa réaction prenait sa
source dans son sentiment d'insécurité et les émotions
en dents de scie que la perspective déclenchait chez elle.
Bien sûr qu'elles pourraient trouver une maison de
retraite, bien sûr qu'elles pourraient payer les frais en
louant ou en vendant la maison, mais les deux options
priveraient Laura de logement. Elle louerait peut-être
quelque chose en ville. Avec ce qu'elle gagnait, elle
n'avait même pas de quoi s'acheter un placard à balai.
Les circonstances qui lui avaient fait tomber tout cuit
dans le bec le petit appartement parisien bon marché
n'étaient pas près de se répéter. D'un côté, le départ
de maman en maison de retraite représenterait la
liberté, de l'autre, il la culpabiliserait à mort. Sans
compter qu'elles se verraient moins.

« C'est franchement ce que tu souhaiterais ? demanda
Laura, essayant de ne pas avoir l'air froissée tout en craignant que ce soit le cas. Tu préférerais vraiment que des
professionnels et des larbins que tu ne connais ni d'Ève
ni d'Adam s'occupent de toi plutôt que de rester ici avec
moi ? Je veux dire par là, c'est ta maison, ton argent, ta

vie mais… Si je devais déménager une fois de plus, mes visites seraient assez rares. »

Maman mangea soigneusement le restant de gras de sa côtelette et posa son couteau à côté de sa fourchette. « Ça ne m'a jamais particulièrement gênée avant, dit-elle.

— Même venant de toi, c'est d'une sacrée froideur.

— Ce n'est pas de la froideur, répliqua maman. C'est du réalisme. De toute façon, tu vas bien finir par te fixer.

— Oh, pitié ! cria Laura.

— Tu es encore assez jeune pour être belle-mère. Ne me regarde pas comme ça. On a vu plus étrange. Un beau divorcé taillé à la serpe…

— *Taillé à la serpe ?* D'où ça sort ? fit Laura en éclatant de rire, et l'hilarité leur permit à toutes deux de quitter un terrain dangereusement glissant.

— Tu sais, la froideur n'est pas qu'une impression, finit par admettre maman.

— Mais non, affirma Laura, se dégonflant lâchement. Ce n'est pas ce que je voulais dire.

— Je parle de la température. Pas de mon tempérament.

— Ah, bon. Je te l'ai dit que tu étais gelée !

— Pas à ce moment-là. Maintenant, oui. Je crois que c'est le courant d'air dont je t'ai parlé, celui qui vient de la cheminée condamnée.

— Tu as moins de chair sur les os qu'avant pour te tenir chaud. Tiens. Lève-toi une seconde pour que je te mette ta robe de chambre avant le dessert. Après je te ferai couler un bain.

— Oh, non, pas encore. Il est si tôt. » Elle accepta néanmoins la robe de chambre, puis avoua : « Peut-être que je ne suis pas tout à fait prête pour la maison de retraite.

— On se couche avec les poules dans ce genre d'établissement. Plus tôt que ça, même, afin que le personnel puisse rentrer chez lui pour la nuit.

— Arrête ! »

Laura rit. « Ils modifieraient l'heure de ton réveil et de ta montre pour te donner le change.

— *Arrête ! Pax !* »

Maman gloussa, mais une fois de plus elle eut l'air vieille et frêle – ses fines mèches de cheveux et ses épaules pâles accrochaient la lumière blême des néons dissimulés sous les placards muraux –, on aurait soudain dit l'ombre blafarde de la majestueuse reine Lear qui s'occupait des roses dans la tempête.

Rendez-vous amoureux

BEN ET BOBBY FENDIRENT LA FOULE JOYEUSE qui faisait la queue pour entrer dans le jardin du pub où se déroulait la veillée commémorative différée de Shirley, et Ben raccompagna son frère à la maison. Cette fois, il passa par le centre-ville.

« Tu es drôlement cachottier, fit-il. Tu ne m'as jamais dit que tu lirais un texte.

— Je te raconte pas tout.

— Comme si je l'ignorais ! Comment va ton petit problème, à propos ?

— Lequel ?

— Tu sais bien. Tes petites bêtes là où je pense.

— La ferme ! dit Bobby en lui donnant une tape amicale avec le dos de la main.

— Non, sans blaguer.

— Ça va bien. Ton truc a marché.

— Parfait.

— Motus et bouche cousue.

— Promis. J'ai déjà oublié. »

Ils traversèrent le pont de chemin de fer et virèrent à droite pour remonter Clifton Road. Ben sentit que Bobby l'observait.

« Tu es heureux, dit Bobby au bout d'un moment.

— Oui. » Ben trouva une place à la lisière de l'Arbour et ils regagnèrent la maison à pied. Les enfants et le terrier étaient rentrés chez eux. Quelques étudiants fumaient d'un air méditatif sur les balançoires. « Poulet ou saucisses pour le dîner ? Il y a un restant de poulet cocotte ou…

— Je te l'ai dit ce matin, fit Bobby. Je sors. Rendez-vous amoureux. Qu'est-ce que tu as dans la tête aujourd'hui ?

— Tu ne veux pas manger un morceau avant ?

— Jeff m'invite à dîner.

— Dit-il avec une fierté de jeune fille.

— Hein ? Oh, la ferme ! »

Ben eut un petit rire et ouvrit la porte. « Il sera là quand ?

— Pas avant un moment. Il conduit le train qui arrive à vingt heures quinze. » Bobby regarda sa montre, et il lui fallut un moment pour calculer la différence entre ce qu'il vit et l'heure d'arrivée prévue de Jeff. Quand il avait pris son travail à la gare, Ben lui avait acheté une montre à cadran vingt-quatre heures pour l'aider avec les horaires de train. « Merde, dit Bobby en se précipitant vers l'escalier. » Il se retourna. « S'il… s'il se présente avant que je sois prêt, sois gentil.

— Je n'y manquerai pas.

— Il est un peu timide, Ben.

— Moi aussi ! Allez, file ! »

Bobby grimpa les marches au pas de charge pour ce qui devait être sa troisième douche de la journée. Ben suspendit sa veste à un dossier de chaise, alluma le four, y glissa le restant de poulet et de pommes de terre, puis

202

se versa un verre du rioja de la veille et s'affala sur le canapé.

Il avait un dossier de notes à parcourir avant une réunion de service prévue lundi, à l'heure du déjeuner. Il se rappelait l'avoir jeté quelque part avec ses affaires à son retour de l'hôpital, mais Bobby avait tout rangé – certainement pour exprimer son impatience – quand Ben avait insisté pour se doucher et se changer avant le service commémoratif. Il le retrouverait plus tard, demain peut-être. Il avait tout le week-end après tout. Même si Laura parvenait à s'échapper comme il l'espérait, il était probable que sa mère, ou son sens du devoir filial, visiblement très développé, ne lui accorderait que quelques heures de liberté. Et s'il les revoyait toutes les deux ensemble, mais plus ouvertement ? Il laverait sa voiture et les emmènerait dans la campagne environnante. Il se figura un pub au bord de la rivière, des canards, la fumée d'un barbecue et le Pr Jellicoe s'endormant sur la banquette arrière et les obligeant à murmurer.

Plutôt que de faire la chasse à son dossier, il attrapa la télécommande et se mit à regarder les informations. À peine avait-il pris connaissance du premier titre qu'on sonna à la porte. Il coupa le son et alla ouvrir.

« Vous devez être Jeff. »

Jeff était une vraie armoire à glace. Il occupait tout l'encadrement de la porte et bouchait la lumière. Pas vraiment gros, surtout très baraqué, avec des jambes et des bras impressionnants. Il avait gardé son uniforme bleu marine des chemins de fer et portait la mystérieuse sacoche noire qui semble ne jamais quitter les conducteurs de train. Ben prit mentalement note de demander à Bobby ce qui se trouvait à l'intérieur car ça l'avait toujours intrigué. Jeff enleva sa veste et roula ses manches de chemise avec beaucoup de soin, révélant une paire d'avant-bras velus. Ben se souvint des poignets poilus du visiteur de la nuit précédente et se demanda si Bobby avait un faible pour les avant-bras poilus comme d'autres en ont un pour les seins ou les jambes, et ce qui avait pu développer ce goût chez un homme qui n'avait eu ni père ni oncles pour le porter dans leurs bras étant enfant. Ben, qui avait des avant-bras lisses, se sentit efféminé en comparaison.

« Vous devez être Ben », dit Jeff en lui broyant la main dans son énorme paluche. Un sourire éclatant éclairait sa barbe d'un jour. « Désolé d'être en retard.

— Vous êtes parfaitement à l'heure. C'est Bobby qui est à la traîne. Il se douche en votre honneur. Asseyez-vous donc. »

Une fois Jeff bien installé dans un fauteuil, ce fut comme si la pièce minuscule avait retrouvé sa lumière.

« Un apéritif ?

— Une boisson sans alcool alors. Il fait encore très chaud dehors.

— Une ginger beer ? proposa Ben.

— Va pour le calembour[1].

— Pardon ?

— Oui, merci. » Pendant que Ben allait lui chercher à boire, Jeff – par nervosité ou simple camaraderie – continua à bavarder. « Je lui avais pourtant dit de ne pas se mettre sur son trente et un. C'est pas juste, alors que j'ai été coincé dans un train toute la journée et que j'ai pas eu la moindre chance de... Mais bon, qu'est-ce que

---

1. Boisson gazeuse au gingembre. Dans l'argot cockney, *ginger* signifie *queer*, c'est-à-dire « pédé ».

vous voulez y faire ? On va seulement dans un pub. Je veux dire, c'est un endroit chouette, mais y a pas de nappes blanches ni rien. Ah, merci. » Il prit la boisson et la but quasiment cul sec. « Un vrai nectar », fit-il en se fendant d'un nouveau sourire étincelant. Il gaspillait son charme dans une cabine de loco. Il avait tant de présence que même Ben se sentait intimidé.

« Vous vivez à Winchester depuis longtemps ? lui demanda-t-il.

— J'habite un peu en dehors. En lisière de Hursley.

— Je connais.

— J'étais de Gosport à l'origine. Après l'école, je me suis engagé dans la marine, et je l'ai quittée voilà dix ans pour les chemins de fer. Bobby m'a offert un cappuccino pendant sa première semaine de travail.

— Vous avez pris votre temps pour l'inviter à sortir.

— Ouais, bon, je ne savais pas s'il était libre. »

Ils rirent tous les deux et Jeff regarda les informations dont le son avait été coupé.

« Jeff, je m'adresse à vous en tant que médecin et frère...

— Pas de problème. Je sais tout sur la trisomie 21 en mosaïque. Il m'en a parlé la deuxième semaine.

— Non... je veux parler de son cœur. Vous savez qu'il a une insuffisance cardiaque ?

— Ça se pourrait bien, mais j'ai un brevet de secouriste et tout ce qu'il faut dans le coffre de ma voiture.

— Oh, dans ce cas, inutile que je m'inquiète. » Ils rirent à nouveau. « Il est très indépendant, reprit Ben.

— À qui le dites-vous.

— Mais je me fais du mauvais sang. Depuis que notre mère est morte, je... »

Jeff quitta l'écran de télé des yeux. « Il est en de bonnes mains, Ben. » Ils échangèrent un sourire lorsque Bobby quitta sa chambre avec sa précipitation habituelle, mais descendit ensuite l'escalier avec une retenue de débutante. Il avait troqué son costume-cravate contre un jean et un tee-shirt bleu ciel moulant qui ne lui allait pas et portait l'inscription *Fragile* en travers de la poitrine.

Ben eut un moment de panique fraternelle à l'idée que ce couple merveilleusement mal assorti se mette à se bécoter sous ses yeux, mais Bobby fut la discrétion même et, quand Jeff se leva et parut une fois de plus boucher toute la lumière, il se contenta de lui dire : « Oh, je ne t'ai pas entendu arriver. Au moins il t'a épargné les photos de moi bébé. On y va ?

— Bien sûr, baby, marmonna Jeff qui écrasa une fois de plus les phalanges de Ben. À bientôt », fit-il avant de sortir.

Ben adressa à Bobby un grand sourire jusqu'aux oreilles.

« Quoi ? fit Bobby.

— Il est charmant.

— Bon, ne m'attends pas. Et surtout ne t'inquiète pas.

— Je ne m'inquiète pas.

— Tout se passera bien. J'ai été un peu culotté, Ben.

— Qu'est-ce que tu veux dire ? » Ben se souvint des manières évasives et espiègles de Bobby avant leur départ pour St Cross. Tous ces *riens*. Bobby avait la même expression à présent. « Qu'est-ce que tu as encore fabriqué, Bob ? »

Bob avait fait quelques grosses bêtises dans le passé, presque toujours pour montrer son affection et pour aider. Il avait par exemple mis dans la machine à laver le seul et unique cachemire de leur mère, entrepris de tapisser la salle de bains ou encore débranché un congélateur plein juste avant leurs trois semaines de vacances d'été.

Le souvenir de toutes ces désastreuses gentillesses devait commencer à se lire sur la figure de Ben car le sourire de Bobby s'effaça un tantinet. « Tout va bien, dit-il. Rien de grave. J'ai posté ta lettre, c'est tout. »

Ben ne comprit pas tout de suite. Il avait tendance à négliger la correspondance en semaine : il fourrait les formulaires de réinscription sur les listes électorales ou les questionnaires de banque dans des enveloppes en papier kraft, mais oubliait de les poster, faute de timbres ou de motivation suffisante. Chloë avait essayé, sans succès, de l'habituer à laisser au moins tout le courrier décacheté dans un coin de la cuisine. « Quelle lettre ? Allez, file. C'est sans importance et Jeff t'attend dehors. »

Mais Bobby ne bougea pas : il était soucieux à présent, craignant d'avoir tout compte fait commis une bévue. « La gentille lettre, expliqua-t-il. J'ai rangé pendant que tu te douchais. À cause de Jeff. Elle était tombée de ton porte-documents. J'ai supposé que tu ne l'avais pas envoyée parce que tu avais des doutes. Mais moi je n'en ai pas. Elle t'aime, Ben. Évidemment qu'elle t'aime.

— Mais tu n'as pas son adresse, fit Ben qui sentit la tête lui tourner.

— Gros bêta, va, répondit-il en lui ébouriffant les cheveux au passage. Ça fait seulement vingt ans que tu es marié avec elle. » Sur ces bonnes paroles, il referma la porte derrière lui, se dépêcha de rejoindre Jeff qui reboutonnait soigneusement ses manchettes, et l'heureux couple s'éloigna en flânant.

Il fallut un certain temps à Ben pour remettre la main sur le porte-documents en cuir qu'il avait si stupidement laissé ouvert. Bob l'avait fourré sur une étagère sous un tas de papiers bien empilés qui n'avaient rien à voir – menus de restauration rapide, prospectus de nettoyage auto et de laveurs de carreaux, un relevé bancaire, un avis d'impôts locaux et une brochure sur papier glacé détaillant les multiples façons dont lesdits impôts étaient dépensés.

Il renversa le contenu du porte-documents sur la table et se força à l'inventorier soigneusement car la page qu'il cherchait avait été écrite dans une telle euphorie qu'elle aurait pu se glisser n'importe où. Son moral remonta quand il crut l'avoir trouvée, tout à la fin, mais retomba en dessous de zéro lorsqu'il s'aperçut que ce n'était qu'un des brouillons non terminés et non signés.

Se raccrochant désespérément à la moindre lueur d'espoir, il courut jusqu'à la boîte aux lettres la plus proche sans même prendre la peine de fermer la porte d'entrée. Un petit avis d'une cruauté irrémédiable l'informa que la dernière levée avait eu lieu au moment où ils chantaient *All Things Bright and Beautiful*. La lettre destinée à Laura, débordante d'amour, d'excuses et de l'assurance qu'avec son consentement ils vivraient désormais ensemble à jamais s'acheminait donc vers Chloë.

De retour à la maison, il relut le brouillon, se força à relever les divers endroits où Chloë croirait, à bon droit, que la lettre lui était bien adressée à elle et non à quelqu'un d'autre. Le fait qu'il avait écrit *Chérie* plutôt que Laura, terme qu'elle n'avait jamais aimé, à l'instar de Laura. Les allusions à sa visite inattendue à l'hôpital, au comportement blessant qu'il avait eu récemment... Il envisagea de l'appeler, de braver le ridicule en lui demandant de ne pas décacheter la lettre quand elle arriverait. Mais qui résisterait à la tentation d'ouvrir pareille boîte de Pandore ?

Il relut le brouillon et, ce faisant, se figura Chloë en prenant connaissance le lendemain matin. Elle serait dans la cuisine, s'abandonnant avec délices au fait qu'on était samedi. La fenêtre serait ouverte sur le minuscule balcon où elle essayait de faire pousser des fines herbes. Elle se serait déjà habillée pour aller acheter le journal et un petit extra diététique pour le petit déjeuner, mais aurait enfilé une confortable tenue de détente. Tout d'abord, elle ne comprendrait pas : comme tout le monde, elle avait toujours du mal à déchiffrer son écriture. Elle aurait sur le nez les lunettes à monture d'écaille qu'elle chaussait toujours le week-end pour reposer ses yeux des lentilles et les verres en seraient embués par la vapeur du café qu'elle boirait à petites gorgées. Dans ses efforts pour comprendre, sa bouche se serait légèrement entrouverte d'une façon qu'il trouvait sexy lorsqu'il la croyait encore intelligente. Il l'imagina relisant *Je t'aime et je veux être avec toi toujours, quoi qu'il en coûte, quels que soient les compromis ou les sacrifices que je doive faire.* Sourirait-elle ? Quand elle lirait *Avec tout mon amour, absolument tout*, pleurerait-elle ? Bien sûr que non. C'était de l'égoïsme grotesque de même l'imaginer. Mais, après avoir mis soigneusement la lettre de côté pour finir son café et manger une autre tranche d'ananas, elle la reprendrait et la relirait. Le temps qu'elle la repose, des expressions se seraient gravées dans son cœur : sa matinée, son horizon, si brièvement que ce fût, en seraient transformés.

Bobby avait une écriture épouvantable, mais il aurait écrit l'adresse en majuscules, comme toujours quand il savait que la clarté importait. Il se serait particulièrement appliqué pour le tréma au-dessus du *e* de Chloë : il aurait dessiné deux petits cercles guillerets, des fleurs même.

La visite que Laura lui avait rendue cet après-midi à l'hôpital pour lui pardonner l'avait convaincu qu'il devait parler à Chloë sans plus tarder, lui faire du mal pour lui rendre sa liberté, divorcer en lui laissant la jouissance de son appartement et de sa fortune. Cette décision avait motivé la rédaction de plusieurs brouillons de lettre, stimulé sa marche au soleil pour rentrer à la maison et probablement contribué à lui mettre la larme à l'œil à l'église. Mais lui parler après lui avoir envoyé pareille lettre (avec la charmante connivence de son frère) serait d'une cruauté inhumaine. Et la cruauté, même la cruauté indirecte de la distance, du silence et de l'abandon, ne suffirait pas. Brûlant de honte, il reconnut une fois de plus que ni le mépris ni les mauvais traitements n'éloigneraient Chloë de lui parce qu'elle avait la ferme conviction que, même si les choses s'étaient refroidies entre eux, il était quelqu'un de bien, dont les principes étaient pour elle une sorte de bénédiction qui venait compenser les carences de son père dans ce domaine.

Il appela l'hôtel situé près du tribunal, celui qu'il considérait désormais comme *leur* hôtel, et réserva la seule chambre qui leur restait. Puis il exhuma du fond de son tiroir à chaussettes une vieille boîte à savons

Roger & Gallet contenant divers objets ayant appartenu à sa mère et passa quelques minutes songeuses à
les trier. De retour au rez-de-chaussée, il se versa un
deuxième verre de vin et le but très vite, errant de pièce
en pièce comme si la maison allait lui offrir une alter-
native miséricordieuse à ce qu'il avait en tête.

Enfin, il se servit un troisième verre de vin et téléphona à Laura.

L'heure du bain

TANDIS QUE LES DERNIÈRES BOURRASQUES DE LA TEMPÊTE ébran-laient la maison, secouaient les vitres, et apportaient des courants d'air humides venus du jardin, Laura gravis-sait les marches dans le sillage du monte-escalier que maman chevauchait avec un stoïcisme impassible. Le parfum de son bain moussant favori du moment leur parvint sur des nuages de vapeur. Il était bleu et l'authenticité de son odeur de menthe aquatique était étonnante pour un produit aussi bon marché. Laura attendit comme d'habitude que sa mère entre seule dans la salle de bains et utilise les toilettes. La radio allumée et la porte ouverte lui signaleraient qu'elle pouvait la rejoindre. Elles avaient sans trop de discus-sions mis au point un rituel quotidien.

Quand Laura s'était installée chez sa mère, la salle de bains lui avait paru être la pièce au charme le plus immédiat : lambris crème, plafond bas pentu et fenêtre mansardée qui offrait une vue sur les arbres depuis les W-C tout en garantissant une parfaite intimité. Elle donnait sur la tranchée du chemin de fer, de sorte que le plaisir du bain était accru par le grondement des trains qui passaient sous les arbres et la pensée de tous

215

ces voyageurs qui devraient encore attendre des heures avant de jouir du même moment de détente.

Depuis que maman s'était cassé le col du fémur, la cheville et tombait régulièrement, la pièce avait révélé ses limites. Un employé municipal du service d'aide aux personnes handicapées avait installé des barres d'appui et des poignées hideuses puis un travailleur social avait équipé les W-C d'un cadre métallique qui ressemblait à un séchoir à linge géant et d'un surélévateur qui rehaussait le siège d'une trentaine de centimètres.

Ces atrocités faisaient partie du prix à payer pour maintenir la précieuse indépendance de sa mère, mais ils apportaient un relent sinistre de maison de retraite que Laura avait espéré éviter et l'impression non moins déprimante de s'engager dans une voie à sens unique de plus en plus étroite, conduisant à la déchéance physique. Idem pour la chaise percée.

Le mot lui-même allait à l'encontre de tout ce que sa mère chérissait, et son design monstrueux – un trône en plastique turquoise équipé d'un demi-seau à poignée métallique dissimulé avec une fausse modestie sous une sorte de couvercle de poubelle en plastique – aurait autant déparé leur vieux mobilier de Ripplevale Grove que les trésors de la famille Jellicoe. C'était leur travailleur social qui l'avait déposé à la suite de deux ou trois accidents pénibles : réveillée au milieu de la nuit, maman n'avait pas atteint la salle de bains à temps. À l'instar des poignées et du monte-escalier électrique qui dominait l'escalier, la chaise percée imposait sa présence tel un signe avant-coureur de la mort.

Pour l'instant, Laura parvenait à gérer toute seule l'heure du bain, mais viendrait un moment où l'on devrait supprimer la baignoire, ou installer une douche de plain-pied. La pièce était beaucoup trop petite pour contenir les deux. Laura s'était déjà renseignée et, avec l'aide de la dame à la patience inépuisable de l'organisation caritative Age Concern, elle avait trouvé un modèle de douche pourvu d'un siège en lattes escamotable et d'un socle peu élevé – accessible même pour quelqu'un qui pouvait à peine lever la jambe. La question de la douche avait été soulevée et écartée à plusieurs reprises. Maman n'était pas très convaincue. Pour elle, toutes les douches vous trempaient les cheveux alors qu'elle détestait se les laver plus de deux fois par semaine. Mais Laura disposait au moins des renseignements et parfois, avait-elle constaté, discuter précocement d'un sujet désagréable agissait comme une sorte de vaccin lorsque arrivait le moment de soulever sérieusement la question.

Attendant les ordres, Laura emporta dans la chambre de sa mère le ballot de vêtements que celle-ci avait ôtés, accrocha sa robe sur un cintre pour la faire sécher et mit de côté sa culotte à protection renforcée, qui pour une fois avait été portée presque toute une journée, afin de l'ajouter à la petite lessive de ce soir.

Elle n'avait pas connu aussi intimement la garde-robe de sa mère depuis l'enfance. Elle y faisait alors des incursions pour essayer chapeaux et chaussures et contempler avec émerveillement les arcanes des soutiens-gorge et des porte-jarretelles. C'était justement parce que maman avait vécu en naturiste qu'elle s'était toujours bien habillée, malgré son budget serré, et parce que son corps nu ne recelait aucun mystère que son choix de vêtements et le miracle par lequel ils étaient si seyants avaient toujours fasciné Laura au plus haut point. Quand les vêtements n'allaient pas sans dire, ils prenaient plus d'importance.

Elle alluma la lampe de chevet – une très jolie lampe au pied de bois sculpté en tronc de palmier, qu'elle convoitait –, lissa le drap froissé par la sieste de sa mère avant de marquer le rabat puis éteignit le plafonnier. Elle n'avait pas d'enfants, mais conservait suffisamment de souvenirs de jeunesse pour savoir que cette scène répétée soir après soir rappelait l'heure du coucher d'un petit. Elle n'arrivait cependant pas à décider si c'était troublant ou réconfortant. Frotter le dos d'un parent, lui laver les cheveux sans lui mettre de shampoing dans les yeux, l'enrouler dans une serviette de bain moelleuse, le border dans un bon lit bien chaud, apaiser ses angoisses pour la nuit et la journée à venir étaient autant d'occasions de manifester son amour dans des circonstances où les mots ne venaient pas facilement.

Et pourtant. Et pourtant.

Il y avait parfois une humilité effrayante chez sa mère, quelque chose d'épouvantable dans la facilité avec laquelle cette femme si hautaine et maîtresse d'elle-même dans d'autres domaines avait abdiqué son droit à l'intimité. Les tenues d'été étaient faciles à enlever, mais les multiples épaisseurs de vêtements d'hiver, surtout les collants et les sous-vêtements, nécessitaient une assistance. Il suffisait de dire « Dépouillons le lapin » pour qu'elle lève les bras en l'air avec un empressement enfantin afin qu'on lui ôte tricot de peau ou chandail.

La porte de la salle de bains s'ouvrit et un nouveau nuage de vapeur parfumée accompagné de salves d'applaudissements saluant la fin du concert de la BBC s'en échappa.

« J'arrive ! » cria Laura qui tira le rideau – maman prétendait que la lueur du réverbère la tenait éveillée – et traversa le palier.

Maman avait besoin d'aide pour sortir de la baignoire, c'était tout. Elles disposaient d'un appareil électrique du nom de Tritonne. C'était un gros coussin vert d'eau en matériau caoutchouteux qui, gonflé par un petit moteur, atteignait le haut de la baignoire. Maman s'asseyait sur un sac plastique posé sur le rebord, Laura manœuvrait doucement ses jambes par-dessus jusqu'à ce qu'elles soient dans l'eau. Puis maman s'installait précautionneusement sur la Tritonne dont le moteur dégonflait le coussin qui la descendait au fond de la baignoire. Ses ablutions terminées, le même moteur regonflait le coussin et la Tritonne la remontait, telle Vénus émergeant des flots, comme elle se sentait tenue de le murmurer la plupart des soirs.

Sauf que maman s'était mis en tête qu'elle ne pouvait pas actionner la Tritonne toute seule. Il suffisait d'appuyer sur un bouton. Elle avait peut-être peur de s'électrocuter – la télécommande avait pourtant été conçue pour être utilisée sans danger par des doigts mouillés et était recouverte d'un revêtement étanche pour plus de sûreté. Quoi qu'il en soit, elle affirmait que seule Laura – qui devenait alors l'*intelligente Laura* – était capable de se servir de l'appareil. Une fois maman dans la baignoire, il n'y avait aucune raison de ne pas la laisser savourer les plaisirs de la radio et du bain et Laura avait essayé de la laisser se laver toute seule, avec pour seul résultat de la rendre irritable si elle devait appeler pour quoi que ce soit. Récemment, une vulnérabilité enfantine, ou la solitude peut-être, l'avait soudain poussée à garder Laura à ses côtés en permanence, et elle lui faisait la conversation par à-coups jusqu'à ce qu'elle soit prête à sortir de l'eau.

En dehors de ses cheveux, que Laura lavait parce que maman avait sinon tendance à oublier, et de son dos, que ses épaules percluses de rhumatismes ne lui permettaient plus d'atteindre, elle se lavait encore toute seule, frottait tout ce qui était à portée de main avec un gant de toilette. Elle n'arrivait plus à atteindre ses pieds, mais refusait l'aide de Laura sous prétexte qu'elle la chatouillait. Sur les recommandations d'une pédicure qui passait un lundi sur deux pour lui poncer les talons et lui couper les ongles, elle avait acheté sur internet un gadget qui ressemblait à une gigantesque brosse à ongles en plastique – elle l'avait surnommé le « paillasson de lutin » – et qui se fixait près de la bonde à l'aide de ventouses. Laura s'était mise à l'utiliser aussi, à frotter rêveusement ses pieds dessus, car, contre toute attente, la sensation se révélait délicieuse.

Elle devina que maman devait être en train de l'utiliser car elle n'était pas capable de parler en même temps. Sa conversation se tarit et elle contempla le plafond avec l'expression pensive d'un bambin qui fait dans ses couches. Éprouvait-on du désir à quatre-vingt-cinq ans ? Sa mère avait-elle toujours l'œil attiré par la beauté masculine, par les jambes musclées de cet homme, la nuque bouclée de cet autre ? Ou l'insatiable faim finissait-elle par disparaître ? Le désir se transmuait peut-être enfin en plaisirs simples comme celui de se frotter les pieds sur le paillasson de lutin ou celui de se faire masser le cuir chevelu le temps d'un shampoing. Que le désir subsiste quand le corps lâchait prise serait intolérable, mais ce n'était guère une question que l'on pouvait poser à sa mère.

« Est-ce que tu peux officier ? » demanda maman qui avait retrouvé sa langue, et Laura se baissa pour enlever la bonde et actionner la Tritonne. La pompe émit un râle, se mit à vibrer et le coussin se regonfla lentement en soulevant maman, tandis que Laura se tenait prête à l'enrouler dans une serviette chaude.

« Vénus émergeant des flots », soupira maman.

Amuse-gueules du minibar

ON LEUR AVAIT DONNÉ LA CHAMBRE située juste au-dessus de celle qu'ils avaient toujours occupée jusque-là. Au début, elle lui parut identique : même disposition, même lit, même mobilier, mêmes rideaux. Puis il remarqua le plafond moins haut, les fenêtres plus petites, les tableaux différents et vit qu'il n'y avait qu'une douche, alors que l'autre offrait une luxueuse baignoire à pieds de lion. Ce n'était bien sûr qu'un hasard, mais Ben eut l'impression que ses espérances s'envolaient insidieusement.

Il était venu ici presque immédiatement, tout en sachant que Laura ne pourrait guère s'échapper avant que sa mère soit couchée, car rester chez Bobby à regarder l'horloge aurait été au-dessus de ses forces. Mais attendre dans une chambre d'hôtel s'avéra presque aussi ardu. Tout dans la pièce suggérait l'autocomplaisance – à un degré moindre cependant que leur ancienne chambre – et n'aurait pu s'accorder plus mal à son humeur du moment. Un motel sans âme près de l'autoroute avec un bar fréquenté par des VRP ou une chambre sordide au-dessus d'un pub dont le tenancier vous tend la clé sans poser de questions auraient mieux convenu. Il doutait que la ville de Winchester ait jamais possédé l'un ou l'autre de ces établissements.

Il faisait enfin noir, de sorte qu'il put tirer le rideau sans que cela paraisse bizarre. Il envoya promener ses souliers et essaya de s'allonger sur le lit. Puis il tenta de s'asseoir dans l'unique fauteuil, mais le capitonnage en était dur et essentiellement ornemental. Sa nervosité l'avait empêché de toucher au poulet cocotte réchauffé, mais maintenant que les odeurs du restaurant lui parvenaient une fringale intempestive s'emparait de lui. Il dévora le paquet de chips du minibar. Puis les cacahuètes. Ensuite il eut honte et cacha les sachets vides sous le lit de peur qu'elle les aperçoive et le trouve insensible.

Elle finit par l'appeler sur son portable pour lui dire qu'elle arrivait.

Il dut se retenir pour ne pas l'appeler *chérie* tellement il était nerveux. « Chambre onze », dit-il. Il savait qu'elle préférait monter directement plutôt que d'affronter le réceptionniste. Puis, ne supportant plus d'attendre dans la chambre, il se précipita au rez-de-chaussée pour la guetter sur les marches devant l'hôtel.

Entendant la rumeur qui s'échappait des fenêtres ouvertes du restaurant et du bar dans son dos – la clientèle nantie du vendredi soir –, il se sentit étrangement mal à l'aise, esseulé et agita la main dès qu'il la vit émerger du raccourci bordé d'arbres qu'elle aimait emprunter à travers les anciennes casernes des Green Jackets.

Elle lui fit signe à son tour et il fut si heureux de la revoir qu'il faillit oublier la raison de sa présence. Chaque rencontre avec elle était une sorte de retour à la réalité. Il se rappelait évidemment à quoi elle ressemblait, entre deux rendez-vous, mais l'idée qu'il se faisait d'elle à présent était inextricablement mêlée aux souvenirs qu'il en avait plus jeune. Chaque réapparition de Laura lui faisait revenir en mémoire qu'elle était désormais sûre d'elle, déterminée et décontractée. La voir, c'était se souvenir qu'il ignorait tout d'une bonne partie de sa vie adulte. Ce soir, elle arborait un collier marocain qu'il avait déjà admiré : d'énormes cabochons d'argent qui s'entrechoquèrent sur sa poitrine quand elle se mit à courir pour le rejoindre. Elle lui attrapa la main et la baisa. Il l'attira contre lui et l'embrassa sur le front. Ses cheveux fleuraient la lavande. Et aussi l'oignon frit. « Tu sens toujours si bon, remarqua-t-il.

— C'est le dîner que j'ai préparé tout à l'heure. J'ai entendu dire l'autre jour que les femmes qui se parfumaient pour attirer les hommes perdaient vraiment leur temps : il suffirait qu'elles fassent revenir du bacon juste avant de quitter la maison. »

Il l'embrassa à nouveau et huma ses cheveux par jeu. « Désolé d'être descendu. Je ne supportais plus d'être seul dans la chambre.

— Voyons si c'est mieux à deux.

— C'est ça. »

Elle l'entraîna à sa suite et salua joyeusement le jeune homme de la réception.

« Nous avons déjà rempli une fiche », lança Ben qui se hâta de monter les marches derrière elle. Elle avait enlevé la robe qu'elle portait plus tôt, revêtu un pantalon noir en lin et un chemisier blanc ajusté qu'elle n'avait pas rentré dans sa ceinture et à travers lequel il apercevait son soutien-gorge.

« Chambre douze, c'est ça ? dit-elle en essayant d'ouvrir la mauvaise porte.

— Onze, siffla-t-il. Ici ! » et elle revint vers lui en courant, avec un petit rire.

Ils firent l'amour bien sûr. Comment pouvait-il en être autrement ? Il eut pourtant l'impression d'une sorte de traîtrise car il avait prévu de se montrer grave, respectueux. Ils s'en donnèrent à corps joie entre les draps, les couvertures et les tentures et, à un moment donné, elle sauta du lit pantelante, ouvrit tous les rideaux ainsi que les petites fenêtres, de sorte qu'ils se retrouvèrent au milieu du bruit et des lumières de Southgate Street, presque comme si leur lit était sur le balcon. Puis ils dévalisèrent le minibar et recommencèrent à s'embrasser.

« Je t'ai écrit une lettre, avoua-t-il. J'ai fait plusieurs brouillons et je suis même allé jusqu'à la recopier au propre de ma plus belle écriture de médecin.

— Ah bon ? »

Il devina qu'elle souriait, mais se rendit compte qu'il était hors de question de lui dire où était passée la lettre.

« Tu m'as écrit quoi ? » demanda-t-elle. Elle avait ôté son lourd collier parce qu'il la gênait, mais s'amusait à frotter les cabochons d'argent sur la cuisse de Ben. À la lumière vacillante qui venait du dehors, elle semblait avoir trente ans, ou moins ; ses yeux sombres brillaient. Il tendit la main pour allumer la lampe de chevet, mais elle l'arrêta. « S'il te plaît. Pas encore.

— Je t'ai écrit que je t'aimais, que je n'avais jamais cessé de t'aimer. J'espérais que tu pourrais me pardonner d'avoir été aussi bête et de t'avoir fait autant de peine.

— Chut. Il n'y a même pas à en parler. Tout ça est derrière nous.

— C'est important. »

Il la vit sourire, ou plutôt il entendit une petite exha-
laison et vit briller ses dents. « Ce que tu peux être
gamin parfois. La seule chose qui compte, c'est l'instant
présent. Nous. Ici et maintenant.

— Tu ne m'as jamais dit qui était ta mère.

— Pourquoi j'aurais dû le faire ? C'était ma mère,
point.

— Oui mais... » Il se demanda comment poursuivre.
La tentation d'en rester là était très forte. « Figure-toi
que je l'avais déjà rencontrée. Il y a des lustres.
À Oxford. Lors de notre dernière année. Elle connaissait
le président de l'université ou quelqu'un d'autre.

— Tu l'as vraiment rencontrée ? On menait des vies
très séparées à l'époque. Elle venait assez souvent pour
des trucs en rapport avec son travail, mais je ne l'encou-
rageais pas à me contacter. J'étais trop accaparée par les
plaisirs égoïstes de la vie étudiante pour avoir envie
qu'elle me passe un savon ou me remette à ma place
devant mes amis. Elle ne s'en souviendra pas. Elle
rencontrait des centaines d'étudiants par an.

— Tu ne te vantais pas de l'avoir pour mère. Pourquoi ?

— Elle n'était pas ce qu'on pourrait appeler cool,
même à cette époque-là. Surtout à cette époque-là. »

Il comprit combien il serait monstrueux d'évoquer le
rôle parfaitement involontaire joué par le Pr Jellicoe
dans la mort de leur amour. Il garderait cette fiole de
poison pour lui.

« J'ai peur, reprit Laura d'un ton moqueur. Tu l'as
probablement beaucoup moins impressionnée qu'elle
ne t'a impressionné, toi. Tu lui as plu, pourtant, l'autre

jour. Tu as dû appuyer sur le bouton Virologie pendant que je n'écoutais pas.

— Ah oui ?

— Ç'a toujours été son point G, socialement parlant. Un homme pouvait être aussi dénué de charme que Goebbels, il suffisait qu'il murmure *Circovirus porcin* ou *Virus de la chorioméningite lymphocytaire* pour qu'elle batte des cils et s'approche de lui. C'est étonnant, au fond, que mon père ait même réussi à décrocher un premier rendez-vous. » Elle rit toute seule. « Pauvre papa. C'était vraiment un saint. »

Il prit la main qui tenait le collier et la porta à ses lèvres pour regagner son attention. « Laura ? Il faut que je rentre.

— Bobby ?

— Non. À Battersea. Que je retourne dans ce putain d'appartement... chez Chloë. Il faut que je l'affronte et que j'arrête d'être aussi lâche. Ce n'est juste ni pour toi ni pour elle.

— Ce n'est donc pas fini ?

— Mais *si*. » C'était peut-être le cas, se dit-il. « Ça l'est dans ma tête, mais je dois le lui faire comprendre. Tu l'as vue l'autre jour.

— Elle t'aime toujours.

— Bon Dieu. Peut-être. Elle... Elle n'est pas très futée et elle est extrêmement... Elle a l'habitude d'être aimée. Son père...

— Mais tu reviens bientôt, l'interrompit-elle. La semaine prochaine. L'hôpital.

— Je ne sais pas. Je pense que oui. J'espère. Si je ne règle pas une bonne fois pour toutes la situation, elle va nous mener une vie d'enfer. Je prendrai peut-être quelques jours de congé pour faire les choses comme il faut.

— Ah. »

Elle remonta le drap et s'écarta légèrement tout en l'observant. Il alluma la lampe de chevet.

« S'il te plaît, non, l'implora-t-elle.

— C'est nécessaire. Juste une ou deux secondes. Voilà. Je mets la veilleuse. »

Il s'extirpa du fouillis des draps et alla ramasser son pantalon enfoui sous les coussins damassés et le dessus-de-lit matelassé qu'ils avaient envoyés promener. Puis sortit de la poche un petit écrin et revint se coucher. « Tiens », dit-il.

Il lui glissa l'écrin dans la main, qu'il serra sur son cœur parce qu'il était incapable de parler et craignait d'éclater en sanglots. Elle ne l'avait jamais vu pleurer.

« Qu'est-ce que c'est ? demanda-t-elle en fronçant légèrement les sourcils. Bon sang, Ben. » Elle dégagea sa main, regarda l'écrin et l'ouvrit. « Ben ?

— Elle ne sera sans doute pas à ta taille.

— C'est ravissant.

— Ça représente probablement cinquante ans de malheur, parce qu'il l'a plaquée.

— C'est la bague de fiançailles de ta mère ?

— Oui. Est-ce que tu… ? Elle te va ? »

Elle la passa à son annulaire. L'admira à la lumière, lui sourit. « J'ai des mains plus robustes que tu ne crois. C'est vraiment ravissant, Ben. » Elle renifla et se tamponna les yeux avec un coin du drap. « Idiote que je suis. Désolée. J'aurais aimé la rencontrer.

— Et moi qu'elle te rencontre. J'aurais dû t'amener chez nous le premier Noël. Où avais-tu la tête pour rester dans cette maison glaciale à Oxford ?

« — On essayait d'être adultes. On jouait au couple. »

Il lui prit à nouveau la main pour regarder la bague. Il avait peur qu'elle paraisse minable. Il ne connaissait rien aux bijoux. Il ne lui était encore jamais venu à l'esprit de douter du goût de son père. « Je ne peux pas te demander de m'épouser, dit-il. Je ne suis pas libre de le faire. Pas encore.

— Je sais.

— Mais est-ce que je peux te demander, eh bien, d'attendre, en quelque sorte ? »

Elle le regarda bien en face et ce fut une sorte de promesse mêlée de défi. « Bien sûr, répondit-elle.

— Parfait.

— Je ne bouge pas d'ici.

— Parfait.

— Et ton frère ?

— Oh… je ne peux pas prétendre qu'il ait autant besoin de moi que je m'en étais convaincu. Bobby s'en sortira. Il sera content d'être débarrassé de moi. Il pourrait même trouver l'amour. Je veux que vous fassiez connaissance dès mon retour.

— Ce serait sympa. »

Elle s'accrocha à lui pendant une minute ou deux puis l'embrassa brusquement sur l'épaule et se leva. « Il faut que j'y aille, fit-elle. Je lui ai dit que j'allais me promener. Même si elle était à moitié endormie quand je suis partie, elle sera inquiète de ne pas me voir revenir. Il y a toujours des étudiants ivres dans les rues autour de chez nous le vendredi soir, le raffut risque de l'agacer.

— Je te raccompagne à pied.

— C'est inutile. »

Mais il le fit quand même. Elle l'attendit dehors, sur le trottoir, pendant qu'il réglait la note, puis ils remontèrent bras dessus bras dessous le petit passage sombre qui longeait le jardin de l'hôtel, contournèrent l'arrière de Searle's House et traversèrent le curieux mélange de casernes aménagées et de logements vaguement Pays des Jouets qui avait surgi de terre depuis le départ du régiment. Il gagna un petit moment supplémentaire en la persuadant de faire un détour par l'ancien champ de manœuvre où des buissons de lavande et des conifères alignés au cordeau remplaçaient les compagnies à l'exercice et où un jet d'eau curieusement désolé jaillissait d'un vaste bassin circulaire. Il lui raconta qu'il se souvenait avoir entendu la fanfare du régiment répéter ici, les soirs d'été, quand il était enfant. Le hasard voulut qu'ils passent devant le bassin au moment de la fermeture nocturne du système automatique, et le dernier jet d'eau mourut avec un bruit qui n'avait rien de romantique : on aurait dit un seau d'eau sale que l'on vidait.

« Fais un vœu, lui suggéra-t-il en lui serrant le bras, mais elle se passa une main dans les cheveux et soupira.

— Oh, moi ? Je n'en ai plus.

— Formule un espoir, alors.

— Hmm », fit-elle, et il regretta de n'avoir pas su tenir sa langue.

Ils suivirent un sentier qui conduisait par une voûte étroite à l'un des nouveaux bâtiments construits pour s'harmoniser aux anciens, descendirent une volée de marches et, beaucoup trop brusquement, se retrouvèrent dans St James Lane, juste en face de la maison de sa mère.

« Tu pars quand ? demanda-t-elle.

— Demain. Autant prendre le taureau par les cornes ce week-end.

— J'ai horreur des adieux, avoua-t-elle. Je suis nulle pour ce genre de trucs.

— Alors laisse tomber. Qui sait, je serai peut-être de retour dimanche, ou même demain soir. On pourra se parler. »

Il avait voulu remonter le moral des troupes, mais Laura ne fut pas dupe. Elle leva la main qui portait la bague de sa mère et lui caressa la joue. « Salut, mon beau », dit-elle et, avant qu'il ait pu la rattraper, la retenir ou même trouver quelque chose à lui répondre, elle avait traversé, ouvert le portail et disparu.

Il descendit la colline jusqu'au moment où il entraperçut les petites fenêtres gothiques du premier étage. L'une d'elles était déjà allumée : le Pr Jellicoe avait peut-être veillé pour lire ou s'était simplement endormie sur l'ouvrage. Il imagina Laura se dirigeant vers elle et lui enlevant gentiment des mains un exemplaire de *Fièvres hémorragiques et lésions chez les primates* avant d'éteindre.

Mais la lumière resta allumée – peut-être que sa mère était toujours éveillée, l'interrogeait sur sa promenade ou lui réclamait une boisson ou des calmants. Puis la seconde fenêtre s'éclaira enfin et un court instant il vit Laura à travers un fouillis de roses, qui levait le bras pour tirer les rideaux. Il savait, parce qu'elle lui avait confessé cette petite manie, que s'il attendait suffisamment longtemps il verrait sa lumière s'éteindre et sa main rouvrir les rideaux parce qu'elle préférait être réveillée par la lumière du soleil plutôt que par une sonnerie. Mais il eut le sentiment que ce serait du voyeurisme de sa part.

Au lieu de repasser par les casernes et devant le bassin désolé, il remonta la colline, traversa le pont de chemin de fer et reprit St James Terrace, une rangée de maisons aux jolis jardins qui faisait face aux casernes par-delà un sentier et la tranchée de la voie ferrée. Un train express tardif à destination de la côte passa en trombe. Il regarda dans la tranchée, vit ses voitures, éclairées et apparemment vides, filer loin en contrebas ; leur grondement qui s'éloignait lui parut soudain épeler son désespoir.

Ce fut seulement en se réveillant le lendemain aux aurores, mais beaucoup trop tard pour que ce soit utile, qu'il s'en avisa : il aurait pu monter à Londres en voiture aussitôt après avoir quitté Laura, attendre au volant de son véhicule et s'introduire dans le vestibule juste avant l'arrivée du facteur. Ou même l'arrêter devant la porte, le saluer joyeusement et lui proposer de porter les lettres à l'intérieur.

La stratégie n'avait jamais été son point fort.

Un dernier petit verre

LE MOMENT PRIVILÉGIÉ POUR LAURA se situait entre celui où elle mettait maman au lit et celui où elle y allait elle-même. Elle avait beau être souvent épuisée et prête à jouer les couche-tôt aussi, il lui semblait important de vaquer à une occupation qui n'ait rien à voir avec sa mère, quitte à s'avouer vaincue au bout d'une demi-heure. Elle vérifiait ses e-mails et y répondait, lisait ou regardait la télévision : elle était accro aux séries policières violentes ; maman les avait en horreur et aurait parlé sans cesse. Mais d'habitude elle se promenait, acti-vité désormais exclue pour sa mère. À Paris, elle arpen-tait les trottoirs du Marais pendant des heures, surtout la nuit. Cela lui manquait. Sortir et voir un peu d'animation lui faisait du bien.

Il n'y en avait pas beaucoup dans les rues résiden-tielles de Winchester à dix heures moins le quart, un vendredi soir. Elle apercevrait peut-être une poignée d'étudiants tapageurs, quelques promeneurs de chiens impatients, de temps à autre un dernier voyageur rentrant de la gare. Mais c'était une ville où les gens tardaient à tirer leurs rideaux le soir, surtout l'été, quand l'obscurité s'étendait furtivement, et au bout de presque deux ans à Winchester, elle n'était toujours pas blasée par les tableaux intimes qui s'offraient à elle. On ne voyait pas les gens chez eux au centre de Paris : ils se cachaient dans des appartements situés bien au-dessus du niveau du trottoir et quelquefois même derrière des volets. Elle avait cependant gardé de Paris une habitude d'indiscrétion.

Ce soir, elle avait encore plus envie de bouger que d'ordinaire et, comme la nuit semblait fraîche et prometteuse après l'orage, elle s'aventura plus loin. Elle descendit la colline jusqu'à Southgate Street puis coupa à travers le réseau de rues transversales éclairées de loin en loin pour se diriger vers la cathédrale inondée de lumière : elle semblait flotter au-dessus des maisons tel un immense vaisseau fantôme.

Passant devant des jardins odorants et bruissant de papillons de nuit, similaires à celui qu'elle venait de quitter, elle vit des familles qui bavardaient devant des restes de repas, des couples muets affalés devant des téléviseurs, une femme dans un fauteuil absorbée par sa lecture. Elle surprit un homme et une femme qui s'étaient éclipsés d'un dîner bruyant pour fumer et flirter, sentit à leur regard hostile qu'elle les avait observés avec une sorte d'envie et s'éloigna à la hâte.

Puis elle s'immobilisa quelques minutes pour regarder depuis Great Minster Street l'extrémité ouest de la cathédrale, près de laquelle se trouvait la pierre tombale à la fois drôle et triste d'un milicien mort pour avoir bu trop de petite bière. Elle dépassa des pubs bondés, la Butter Cross et remonta la grand-rue. Elle grimpa la colline d'un bon pas, savourant l'exercice, passa devant le tribunal et le Great Hall. Elle avait eu l'intention de couper à gauche à travers les anciennes casernes et de rentrer à la maison, mais une impulsion la poussa à poursuivre son chemin, à emprunter le pont de chemin de fer et à tourner à droite pour traverser les étendues désertes d'Oram's Arbour.

Elle s'était déjà plusieurs fois postée devant la maison de Fulflood où Ben l'avait emmenée à l'occasion. Elle veillait à ne pas répéter l'expérience trop souvent pour ne pas en faire un rituel, mais avait conscience du côté fétichiste de l'excursion : il fallait qu'elle voie la maisonnette, se rappelle qu'elle était réelle et, bien sûr, s'assure qu'il n'était pas là.

Bobby était toujours là. Il ne la connaissait pas encore, naturellement, puisqu'on ne les avait jamais présentés, mais elle l'avait vu déambuler dans la maison, parfois seul, parfois avec son ami costaud. La première fois qu'elle l'avait aperçu chez lui, elle avait tout de suite reconnu en lui le marchand de journaux de la gare, et par la suite elle mit un point d'honneur à lui acheter quelque chose chaque fois qu'elle allait voir des clients ou des amis à Londres ; un journal, ou un journal plus un café, afin d'avoir l'occasion d'échanger quelques mots. Elle se contentait de dire : « Il fait frisquet, aujourd'hui, n'est-ce pas ? » ou : « Je vais peut-être vivre dangereusement et prendre aussi un de ces biscuits », ou encore : « Quelle cravate élégante ! » Il ne répondait pas grand-chose, ne se souvenait probablement pas d'elle d'une fois sur l'autre, mais il était toujours agréable et elle en était venue à sentir que garder un œil sur lui était en quelque sorte important. S'il n'avait pas été dans son kiosque ou si elle avait soudain découvert la maison vide et mise en vente, une part d'elle, petite mais cruciale, serait morte sur-le-champ.

Bobby était là ce soir. Il regardait la télé, assis sur le canapé du minuscule salon en compagnie de son ami costaud. Laura entendait le bruit de l'émission par leur fenêtre ouverte, un groupe de filles qui chantaient. Ils avaient fait des transformations récemment. Les fenêtres et la porte avaient été repeintes. La modeste parcelle de terrain séparant la maison de la grille du trottoir avait été soigneusement recouverte d'un joli gravier et agrémentée de lavande en pot et d'un petit laurier taillé. Ils avaient aussi un chat à présent, qui l'avait fait sursauter en émergeant soudain de la chatière découpée dans la porte.

Tout allait bien. Rassurée, elle rebroussa chemin au sommet de l'Arbour, descendit la colline et regagna la maison en longeant St James Terrace.

La température était de nouveau en hausse et marcher lui avait donné chaud. Elle espérait qu'un autre orage ne se préparait pas. Ouvrant le portail avec une discrétion qui était le fruit d'une longue pratique, elle leva les yeux et vit la fenêtre de sa mère plongée dans l'obscurité.

Le vin du dîner s'était laissé boire. Elle enleva le bouchon de caoutchouc et s'en versa un verre qu'elle emporta au jardin avec deux ou trois allumettes au fromage et un coussin. Elle s'assit dans le fauteuil de sa mère, le plus confortable, envoya promener ses souliers et allongea les jambes. Elle sirota son vin, grignota une allumette et s'étendit en contemplant l'endroit où auraient dû briller les étoiles s'il n'y avait pas eu d'éclairage urbain. Une grive musicienne au chant aussi fort et mélodieux que celui du rossignol prenait régulièrement le réverbère le plus proche pour les premières lueurs de l'aube, mais ce soir elle ne s'était pas encore manifestée.

Cela faisait exactement un an que Ben était parti et elle était sans nouvelles de lui. Pas le moindre coup de téléphone, pas la moindre lettre.

Elle avait décidé, le lendemain matin de leurs adieux, de ne pas le contacter, de lui laisser tout le temps nécessaire. Puis, comme les jours passaient et qu'il ne donnait toujours aucun signe de vie, elle avait essayé de l'appeler à l'hôpital et appris qu'il n'y travaillait plus. Furieuse, elle avait téléphoné au Chelsea and Westminster, attendu assez longtemps pour entendre la secrétaire dire « Je vous le passe » et raccroché.

Elle avait toujours son numéro de portable dans son répertoire, bien sûr. À mesure que les jours se transformaient en semaines, elle avait été de plus en plus tentée de l'appeler. Elle avait songé à composer son numéro et à couper immédiatement : son nom apparaîtrait dans la liste des appels récents et lui donnerait des remords. Elle avait aussi pensé lui envoyer un SMS contenant en tout et pour tout un point d'interrogation.

Puis, un soir où elle avait trop bu au dîner, elle s'aperçut qu'il y avait de grandes chances, si elle l'appelait, qu'elle pleure ou tienne des propos humiliants pour elle, pour lui ou pour tous les deux, et elle effaça son numéro. Elle regretta son geste, évidemment, surtout une fois dégrisée, le lendemain matin. Elle aurait encore pu le joindre à son travail, mais cela aurait paru désespéré d'une certain façon, ou sournois, un comportement de désaxée ou de femme plaquée.

Or, même un an plus tard, elle n'avait pas l'impression d'avoir été plaquée. Ben était faible ou, cocktail fatal, faible et bon. Plaquer supposait, sinon de la méchanceté, du moins de la préméditation, et il était attentionné à l'excès, pas du tout calculateur. Comme il l'avait confessé au restaurant, de longs mois auparavant, il n'avait de pouvoir que loin de Chloë.

Au fil des semaines, Laura se rendit compte que, quelle que soit la bataille qui se livrait en coulisse, elle avait perdu. Chloë ne l'aimait peut-être pas plus qu'elle, mais son amour avait, semblait-il, été le plus tenace. Et qui sait, la force de ses sentiments les avait peut-être surpris tous les deux. Il avait peut-être fallu cette crise pour qu'il tombe enfin amoureux de sa femme et prenne conscience du prodige nouveau de sa présence, comme un homme qui se remet d'une fièvre s'ébahit du plaisir banal que constituent des raisins ou des pâquerettes.

Laura n'avait pas de photo de Ben, pas même des vieilles, et les images mentales qu'elle gardait de lui étaient déjà si floues que, dans ses rêves, son moi d'homme mûr se confondait de façon perturbante avec la version juvénile dont elle paraissait avoir un souvenir plus clair. Éveillée, elle pensait souvent à sa bouche et à son menton, en gros plan, au petit écart séduisant entre ses dents de devant. Mais comme elle l'aimait aveuglément, c'étaient toujours sa voix et son odeur qui lui revenaient d'abord quand elle songeait à lui.

La vision fugitive qu'elle avait eue de Chloë à l'hôpital s'était en revanche gravée dans sa mémoire et n'était pas près de s'estomper.

Elle avait eu un choc car Chloë avait vieilli, bien sûr. Si Ben n'avait pas été à son côté pour donner à l'instant sa terrible signification, Laura ne l'aurait pas reconnue. La blonde folâtre aux merveilleuses robes vaporeuses, celle qui lui avait damé le pion lors de ses dernières semaines malheureuses à Oxford, était devenue une femme dotée de vraies hanches, des hanches de génitrice, même, ses cheveux, moins botticelliens, étaient teints en un peu plus sombre et retenus par un bandeau. Mais ce qui avait bouleversé Laura au plus haut point avait été de voir que Chloë, Mme Ben Patterson, venue exprès de Londres pour apporter son petit gâteau d'anniversaire aussi triste que délicieux, avait l'air gentille, aimante et peinée. Voilà une femme dont le mari faisait une sorte de dépression nerveuse ou avait pété les plombs, mais qui était prête à attendre, à lui pardonner, et même à voler à son secours si nécessaire.

Étudiante, Chloë faisait tourner les filles en bourrique et attendrissait les garçons parce qu'elle était trop riche pour se sentir privilégiée et trop jolie pour s'en soucier. Telle une fille fictive imaginée par un publicitaire, il semblait qu'une infinité de possibilités alléchantes s'offraient à elle. Adulte, ces possibilités s'étaient apparemment évaporées dans les feux de l'amour et elle avait tout investi dans un mari.

Cette nouvelle image avait pratiquement éclipsé celle de la jeune Chloë au triomphe insouciant. Durant ses heures troublées, Laura la convoquait et découvrit qu'elle lui inspirait plus de respect que de rancune. Quand elle se représentait l'éloquente petite scène sans paroles qui s'était déroulée sur le parking de l'hôpital, Ben n'était plus qu'un figurant, une silhouette assez belle, en costume bien coupé, mais qui tournait le dos aux spectateurs. Toute la compassion était concentrée sur Chloë. À l'instant où elle avait essayé de l'embrasser sur les lèvres et où il avait détourné le visage de sorte qu'elle n'avait eu droit qu'à son front, ses yeux magnifiques s'étaient fermés de douleur.

Laura enleva sa bague et la posa par terre à côté d'elle. Puis elle gratta sous la potée de lis, dégagea une grosse poignée de gravier, poussa la bague au fond du trou et l'enterra. Elle se releva, les narines emplies du parfum des lis, but une autre gorgée de vin et posa le verre sur une petite table.

Sa robe de coton glissa facilement et elle la mit sur la table à côté du verre. Elle resta en sous-vêtements une minute pour s'habituer à l'idée : c'était étrangement agréable d'entendre de temps en temps des voix ou des bruits de voiture de l'autre côté du mur et de sentir le picotement de l'air nocturne sur sa peau nue. Ses cuisses, ses bras avaient la chair de poule et son cuir chevelu se hérissa un peu en prévision de la suite : elle dégrafa son soutien-gorge et se débarrassa aussi de son slip.

Elle marcha un peu, lentement, en veillant à ne pas écraser d'escargots : un aller-retour jusqu'au pavillon d'été et un autre jusqu'à la maison. Elle se sentait bien. Divinement bien. Aussi intensément vivante que sa mère jardinant sous la pluie un an plus tôt. Elle essaya de s'allonger à nouveau, une femme dans un fauteuil de jardin, qui se trouve simplement nue, comme elle avait si souvent vu maman le faire. Un peu trop froid peut-être pour que ce soit confortable. Il y avait peu de chances qu'elle reste là bien longtemps.

Prise d'une impulsion, elle finit son verre de vin, puis se leva brusquement et fouilla quelques minutes dans le gravier sous la potée de lis jusqu'à ce qu'elle ait récupéré la bague. Elle la rinça dans la vasque des oiseaux toute proche et la remit à son doigt. Au bout d'un an seulement, son annulaire avait déjà une empreinte en creux et Laura eut un sentiment de complétude.

Des étudiants montaient la colline, des garçons qui chantaient le générique de *Match of the Day* et qui riaient en tapant dans une boîte de bière. Laura tressaillit, ramassa ses vêtements et ses chaussures et se hâta de regagner la maison.

Remerciements

J'ai une dette immense envers ma mère et ma sœur, qui vivent à Winchester, mais qui ne ressemblent en rien à la mère et à la fille de ce livre, pour la patience dont elles ont fait preuve à mon égard : elles m'ont permis de m'inspirer de leur relation de soutien mutuel et de la vigueur avec laquelle ma mère relève le défi de l'ostéoporose. Un romancier dans une famille est rarement chose rassurante, mais elles me supportent avec courage...

Il me faut remercier le Dr Simon Worrell, qui m'a généreusement et si patiemment guidé dans le quotidien d'un spécialiste de vénérologie et Rose, à Bideford, pour les charmants souvenirs de ses vacances naturistes en famille.

Un grand merci aussi à ma seconde famille – ma famille littéraire –, à Caradoc King, Patricia Parkin et Clare Reihill pour leurs conseils judicieux et leur soutien affectueux.

Collection « Littérature étrangère »

Composition et mise en pages : FACOMPO, LISIEUX

Cet ouvrage a été imprimé en France par

à Saint-Amand-Montrond (Cher)
en février 2011

N° d'édition : 4647 – N° d'impression : 110489/1
Dépôt légal : mars 2011